MORO
O HERÓI CONSTRUÍDO PELA
MÍDIA

TARCIS PRADO JUNIOR

© 2020 Tarcis Prado Junior
Kotter Editorial
Direitos reservados e protegidos pela lei 9.601 de 19.02.1998.
É proibida a reprodução total ou parcial sem autorização, por escrito, das editoras.

coordenação editorial
Sálvio Nienkötter

editora-adjunta
Isadora M. Castro Custódio

editor executivo
Daniel Osiecki
Raul K. Souza

capa | projeto gráfico
Paula Villa Nova

produção
Cristiane Nienkötter

Dados Internacionais de Catalogação na Publicação (CIP)
Angélica Llacqua CRB-8/7057

Junior, Tarcis Prado
  Moro, o herói construído pela mídia | Tarcis Prado Junior
Curitiba: Kotter Editorial, 2020.
  216 p.

ISBN 978-65-86526-15-8

1. Literatura brasileira 1.
Título "Moro, o herói construído pela mídia"

CDD B869.1

19-1965

Kotter Editorial
Rua das Cerejeiras, 194
82700-510 | Curitiba/PR
+55 41 3585-5161
www.kotter.com.br | contato@kotter.com.br

1ª edição
2020

MORO
O HERÓI CONSTRUÍDO PELA
MÍDIA

TARCIS PRADO JUNIOR

DEDICATÓRIA

Enzo
Isis
Flávia

DEDICATORIA

SUMÁRIO

9	PREFÁCIO
15	INTRODUÇÃO
15	Advertência
30	Opção pelo estudo do herói
37	Abordagem qualitativa como método
39	Sociologia Compreensiva – a narração do vivido
46	Por que estudar o tema
51	JORNADA DO HERÓI
54	As etapas da jornada do herói
55	A partida
62	A iniciação
71	O retorno
77	Aquele que julga é (também) aquele que salva
84	Sérgio Moro: de juiz julgador a herói salvador
93	O IMAGINÁRIO
101	As fases da bacia semântica
115	Tecnologias do imaginário

123	A NOVA CAFARNAUM (OU REPÚBLICA DE CURITIBA)
126	República de muitos pinhões (breve radiografia de uma cidade)
133	A Curitiba de Moro
144	Desvelando a jornada do herói Moro na Gazeta do Povo
145	O herói Moro (da) na Gazeta
175	MAS OS SEUS NÃO O RECEBERAM: 3 VEZES NÃO AO HERÓI MORO
191	FINALIZANDO
205	REFERÊNCIAS
219	ANEXOS

PREFÁCIO

A originalidade do livro do Tarcis Prado Júnior sobre o ex-juiz e ministro da Justiça e Segurança Pública por 1 ano e 4 meses no fascio governo Bolsonaro é comprovar, com toda a fundamentação necessária, aquilo camuflado e escondido: a mãe bioideológica da entidade Sérgio Moro é a mídia. Fato encoberto porque, se revelado, macularia a imagem de quem se apresenta como emblema dos princípios deontológicos jornalísticos da ética, isenção e transparência. Porém, como bem sabemos, a mídia tem a pulsão ao pecado. Sempre casta e devassa, como a linda e granfa dama do lotação rodriguiana Solange, cuja fidelidade imaculada assentia escapadelas libidinosas extramatrimoniais, e da bela, recatada e do lar Séverine, a Bela da Tarde, do Luis Buñuel, afeita a luxúrias a esmo das 2 às 5 da tarde em bordel parisiense.

Deixássemos por conta da verve midiática e acreditaríamos ter o rebento, parido por ela, nascido em Krypton ou então ter sido gerado pelos clamores retrotópicos da assunção do salvador nacional na batalha contra a Hidra da Corrupção, por sinal dada à luz e alimentada por quem agora aparenta refutá-la. Honoré de Balzac havia alertado, na Monografia da imprensa parisiense, publicada em 1843, para certos princípios axiológicos e procedimentais da imprensa [hoje mídia], dentre os quais dois são oportunos para o momento em curso: ao contar uma mentira, a mídia só sossega quando o público, atordoado e jogado às cordas, confessa considerar verdade a questionável sentença proferida por ela; ao ser publicado, o provável torna-se verdadeiro porque afiançado pelo ato purificador da publicação.

Em circunstâncias desagradáveis, envolvendo, por exemplo, desvios éticos e atitudes ilícitas dela ou da prole, a mídia eleva a si mesma e os filhos pelos próprios cabelos, como fazia o Barão de Munchausen para se livrar de situações incômodas. Assim, ficariam cada vez mais distantes a olho nu, e portanto esquecíveis, aquelas acusações de ter o filho adulterino, quando magistrado, transgredido o Código de Processo Penal brasileiro e o Código de Ética da Magistratura Nacional por interferências diretivas nos processos investigatórios, filtro das provas – favorecendo as acusatórias em menosprezo às da defesa –, desconsideração das prerrogativas constitucionais e o deliberado ativismo jurídico ilustrado pelo prejulgamento condenatório seletivo, em função das crenças ideológicas e tendo em vista interesses pessoais futuros.

Como teórico e pesquisador, Tarcis Prado Júnior injetou-se na corrente sanguínea da construção do mito Sérgio Moro e acompanhou, in vito, o processo inteiro. A destacar, para começo de conversa, as afinidades eletivas e político-ideológica entre a criadora e a criatura. Weltanschauung compartilhada. A mídia, ao invés de desencobrir, revelar e assumir à luz do sol o perfilamento à plutocracia mandante no país desde a monarquia, revela e explicita pelas atitudes o recalcamento, a datar do período uterino, a políticas populares e problemáticas sociais, enquanto Moro, em pele de cordeiro sintética cujo forro mantém a pelagem original, pendula entre a ordem e o capital, o moralismo e a cívica, a continência e o passo de ganso, o jugo e a sentença, o lictor e o feixe.

Joseph Campbell estabelece, para a edificação do mito, o cumprimento de 3 etapas, com os respectivos 17 estágios. Temos A Partida como a primeira etapa, aquela da convocação [terrena ou sobrenatural] para a jornada. É subdividida em 5 fases: O chamado da aventura; A recusa do chamado; O auxílio sobrenatural; A passagem pelo primeiro limiar e o Ventre da baleia. A segunda etapa, do enfrentamento dos desafios, é a da Iniciação e os estágios de O caminho das provas; O encontro com a deusa; A mulher como tentação; A sintonia com o pai; A apoteose e A benção última. Por último, em O retorno, etapa do dever cumprido e da compensação – um cargo de ministro, por exemplo – o herói passa pelas fases de A recusa do retorno; A fuga mágica; O resgate com auxílio externo; A passagem pelo limiar do retorno; Senhor de dois mundos e a Liberdade para viver.

Sérgio Moro perfez todo este percurso a partir da convocação da trombeta midiática se fazendo passar por clamor popular. Apresentado por quem tem no histórico maior inclinação para o mal a atitudes altruístas, encarnou a desajeitada figura do justiceiro do Bem contra os dragões da maldade [entenda-se, os gentios, ímpios, incrédulos, questionadores inconvenientes...]. Desfilou em salões bancados pela nobiliarquia citada nos processos da Lava Jato e foi condecorado por quem deveria ser autuado. Sincronizado aos valores e interesses do útero matricial, foi nomeado pelo Olimpo midiático o paladino da reserva moral. Herói atípico, pois idolatrado em especial pela alta burguesia, o grande empresariado, a classe média vigarista e o latifúndio: em suma, os potenciais réus em qualquer cruzada anticorrupção.

Novel nos quesitos conhecimento jurídico – fundamentos jurídicos camaleônicos, com simpatia pela legislação federal americana, interfaces com as escolas italianas Positiva e Técnico-Jurídica e lógicas e pragmáticas inspiradas nos Regimentos Maiores do Santo Ofício da Inquisição – e experiência – circunscrito ao caso Banestado, no Paraná, com condenações às pencas e nenhuma permanência prisional relevante –, ainda assim foi entronado imperador do Judiciário brasileiro, função exercida desde a sede do Califado da República de Curitiba. Sérgio Moro, pensando ser o Antonio Di Pietro da operação Mãos Limpas brasileira ou a reencarnação netflixiana de Eliot Ness, tornou-se o J. Edgar Hoover do macarthismo tupiniquim.

Prado Júnior mostra ser Moro a peça salvífica elaborada pela emulação midiática propensa a eugenia e higienismo sociais próprios do falso moralismo dos autodenominados "cidadãos de bem". Moro é a espuma da onda, o ornamento das cristas. A musculatura, mesmo, do paredão d'água mitificador advém da sincronia do imaginário – entendido como a representação e sedimentação da visão de mundo e o reservatório das expressões dos mundos simbólico e material – com a sua tecnologia-mor: a mídia. Dispositivo com a impressionante competência de delegar a si mesmo o papel de intérprete da(s) realidade(s), é ela o instrumento para heroificar o imaginário e os correspondentes frutos.

Feito cartógrafo dos fenômenos originados da fertilidade da mente oligárgica sempre em incessante produção simbólica para justificar a injustificável naturalização da seletividade social, o autor milimetra a jornada cíclica do forjado herói Sérgio Moro. Do pó do terreno midiático nasce e ao alento dos braços midiáticos retorna. O personagem intercala no caminho da terraplanagem hagiográfica a cedência à mídia da agenda e cronograma das ações processuais e penais e das atividades da força-tarefa por ele coordenada – fato comprovado com a publicação das mensagens no aplicativo Telegram dos diálogos entre o na época magistrado e os procuradores da Lava Jato, episódio conhecido como Vaza Jato – em troca da cobertura jornalística edulcoradora por meio de capas, reportagens, lendas, fábulas etc.

Tudo isso é destrinchado por Tarcis Prado Júnior em Moro, o herói construído pela mídia. Sérgio Moro recebeu do estamento midiático o salvo-conduto para todas as decisões tomadas por ele – mesmo se arbitrárias, contraditórias, injustas ou ilegais – e a permissividade absoluta característica do substitutivo compensatório, como se houvesse a tentativa de arrefecer o remorso e reparar a ausência do registro da filiação bioideológica na certidão de nascimento do herói. Assim permaneceria. Porém, no meio do caminho havia a pesquisa, o questionamento, a inquietação, a dúvida, o refletir e o desvelar. Afinal, todo ídolo é para ser deslindado, falaria Zaratustra. Ainda mais se for daqueles com os pés de barro.

Boa leitura.

Álvaro Nunes Larangeira
Doutor em Comunicação Social pela PUCRS;
Pós-doutor em jornalismo pela Universidade de Coimbra

INTRODUÇÃO

Inspirado no Prof. Michel Maffesoli, autor cujas obras esse trabalho cita e procura desenvolver diversas de suas ideias, em especial a do imaginário, introduzimos este estudo com uma seção denominada "Advertência" (MAFFESOLI, 2011) em que mostramos a que viemos e principalmente nos antecipamos a questionamentos prévios quanto ao escopo e a pertinência desta ou daquela ramificação do objeto e temática de estudo que possa soar como inconsistente.

ADVERTÊNCIA

Essa seção que inaugura este estudo tem o objetivo de orientar o(a) leitor(a) sobre o caminho das ideias propostas em suas páginas. São informações sobre o objeto, metodologia e outras características do estudo que procuram auxiliar o(a) leitor(a) no decorrer deste texto no sentido de delinear o percurso da forma mais transparente e fluida possível. Nos parágrafos a seguir, apresentamos algumas notas sobre o que se trata esse trabalho, e sobretudo também a que ele não se refere (e para que fique claro, desde o início o que se deve procurar e o que não se pode encontrar no subterrâneo e na superfície dessas linhas).

Penso humildemente que este estudo pode ser visto e pensado como a boa prosa de Walter Benjamin, que deve passar por três estágios: "O musical, em que ela é composta; o arquitetônico em que é construída; e por fim o têxtil, em que é tecida" (BENJAMIN, 1978, p. 174). Assim, acreditamos fortemente perpassar aqui por estas etapas – na verdade, esse estudo é uma tentativa disso e mais: é inclusive a tradução do *Einfuhlung*[1] do pesquisador com sua época.

No início do primeiro semestre de 2016 visitei uma feira gastronômica no espaço do Museu Oscar Niemayer (chamado carinhosamente de Museu do Olho) em Curitiba/PR. Chamou-me a atenção a presença de dois jovens com camisetas pretas onde na parte da frente era estampada a figura do juiz Moro ao centro e à esquerda e direita a dos procuradores da República Carlos Fernando Santos e Deltan Dallagnol (figura 1), numa alusão à clássica figura da chamada Liga da Justiça, dos super-heróis dos quadrinhos e das telas de cinema.

---

[1] Do alemão, empatia, no sentido de "sentir com", se colocar no lugar do outro.

Figura 01 – Alusão à Liga da Justiça das hqs

Fonte: Gazeta do Povo, 2016.

No verso da roupa lia-se a inscrição: "República de Curitiba: aqui se cumpre a lei" (no caso desta foto, ela aparece na frente, mas a dos jovens era atrás). Causou-me espécie também os detalhes da estampa da roupa daqueles rapazes. Notei que acima da palavra "República" o desenho que se formava em primeiro plano (figura 2) era o de um martelo encostado numa superfície plana, numa clara alusão ao "martelo batido" da Justiça, que simbolizaria o fim do caso (*case closed*), a não mais oportunidade de recorrência, a decisão tomada e, em última instância, o poder absoluto, o qual não caberia mais recurso. Outra interpretação que fiz naquele dia sobre aquela figura foi a referência a um tanque de guerra, que o cabo do martelo sugeriria. Ou seja, em Curitiba, a mensagem subliminar indicaria que a lei se cumpre em dois eixos: no jurídico "democrático" (na ótica lavajatista[2]) e na força bélica. Com efeito, na República de Curitiba, a lei deve valer nos tribunais e quiçá nas ruas com o armamento pesado apontado para aqueles que não colaborem nos esforços de luta contra a corrupção e com o imperativo da lei, ou seja, o "fazer com que a lei seja cumprida".

---

[2] A saber: aquela que prende até delatar e então, ao delatar de preferência quem eles desejam que seja delatado, a justiça enfim será feita.

Figura 2 – Martelo de Guerra

Fonte: Twitter (perfil de "Esforçado"), 2016.

Até aquele instante eu lia, ouvia e estava ciente da atmosfera contenciosa entre direita e esquerda[3], coxinhas e mortadelas e perseguidores e perseguidos pelo *lawfare*[4] (que envolvia o julgamento do ex-presidente Lula e que àquela altura podia-se perceber que as decisões judiciais começavam a serem pautadas pelo impacto em possíveis benefícios ao petista[5]) mas aquele momento no museu da capital paranaense proporcionou uma epifania – poderia dizer até que uma pequena crise[6] (GUMBRECHT, 2006)

---

[3] Esquerda e direita, assim como os extremos desses dois espectros contém diversas definições. Destacamos aqui as observações de Bobbio (1995) que considera que esses espectros ideológicos embora tidos por muitos teóricos como superado após a queda do Muro de Berlim, ainda estão em voga hoje em dia [no caso, no final dos anos 1990, mas que pode ser trazido para os dias atuais, 2020]. O próprio historiador reconhece que existem diversas nuances na definição de um e outro lado, posto que o risco de se incorrer em alguma simplificação é muito grande, já que tanto direita quanto esquerda trazem características de uma e outra na sua *praxis*. No esforço de se chegar a uma definição possível para o tema, Bobbio se vale do critério da igualdade e assinala nesses termos uma distinção entre direita e esquerda: "(...) quando se atribui à esquerda uma maior sensibilidade para diminuir as desigualdades não se deseja dizer que ela pretende eliminar todas as desigualdades ou que a direita pretende conservá-las todas, mas no máximo que a primeira é mais igualitária e a segunda é mais inigualitária" (BOBBIO, 1995, p. 103). No contexto brasileiro no país da década de 2010, fazemos uma interpretação irônica e bastante própria (ao mesmo tempo que sintética) ao imaginário desses dias sobre esses termos. Assim, direita são as "pessoas de bem" e esquerda, os "malditos".

[4] O *lawfare* é um termo que designa a utilização da lei para fins de perseguição política. Os defensores do ex-presidente Lula, em especial os advogados Cristiano Zanin Martins e Verônica Martins, utilizam essa linha de argumentação para mostrar que ex-presidente não estaria tendo um julgamento justo.

[5] Um dos exemplos é o julgamento sobre a prisão em segunda instância previsto para 2018 e que foi postergado por conta de uma possível decisão favorável ao ex-presidente. Outro exemplo aconteceu em fins de 2018 quando o ministro do STF Marco Aurélio Mello decidiu pela soltura de presos que aguardavam decisões sobre suas penas na segunda instância. Como tal ação poderia provocar a libertação de Lula, o presidente do STF Dias Toffoli cassou a liminar de seu colega alegando que o caso já fora decidido (decidido não decidir, já que se optou por julgar a ação em 2019) anteriormente por colegiado e que uma decisão monocrática não poderia se impor àquela altura.

[6] Pequenas crises é o termo que Gumbrecht (2006) utiliza para denominar experiências estéticas que acontecem quando da interrupção da ordinaridade da

– que me incomodou, me intrigou e me fez pensar mais nesse assunto.

No mesmo período o Programa de Pós-Graduação de Comunicação e Linguagens da Universidade Tuiuti do Paraná (UTP) promoveu um seminário avançado (chamado de SEVAN) com o título: 1954+1964 = 2016 proferido pelo Prof. Juremir Machado da Silva sobre o imaginário na relação entre os três períodos de grande convulsão social e a conexão entre eles nos desdobramentos do *impeachment* da (ex-) presidente Dilma Rousseff, além do papel da Comunicação naquele contexto todo.

Se o primeiro evento me fustigou a pensar no assunto, o segundo me fez ter a certeza de buscar entender como a mídia pode ter contribuído para a formação da imagem salvífica dos personagens da camiseta daqueles rapazes e em especial a do juiz federal Sérgio Fernando Moro. Aquela estampa na camiseta dos jovens não apenas era ícone de um movimento de mudança, mas de um orgulho por aqueles membros do judiciário serem oriundos (tendo base, pois os três são nascidos em outras localidades do estado) da capital paranaense e isso faz todo o sentido na Curitiba dos anos 2010.

O curitibano médio, sempre orgulhoso de sua terra como sendo a capital ecológica nos anos 1990 e cidade modelo para o país naquela época, viu seu patrimônio imaterial e ao mesmo tempo imagético-afetivo se perder pelo aumento da população na cidade (estimulada justamente pela propaganda da vida saudável que a cidade proporcionava). Carente de uma nova imagem de sua cidade, o cidadão curitibano viu seu orgulho ressurgir por meio da operação Lava Jato[7] por meio dos

---

vida provocando momentos de epifania.

[7] A palavra "Lava Jato" está grafada sem o hífen em todo o estudo porque estamos respeitando a grafia dada pela imprensa à operação.

seus jovens protagonistas do Judiciário. A crítica do ex-presidente Lula à cidade (chamada por ele jocosamente de "República de Curitiba"[8]) só fez potencializar e ao mesmo tempo cristalizar a nova roupagem da capital dos pinhões. Aqueles jovens então que perambulavam pelo Museu do Olho ostentando as camisetas com a frase e imagem que traduziam essa nova postura dos curitibanos já anunciava um período de rivalidade incluindo principalmente o ódio aos partidos e aos simpatizantes de esquerda.

Faltava ainda a eleição de alguém que fosse representante da cidade no cenário nacional e Sérgio Moro foi o escolhido (quiçá como uma espécie de porta-voz), apesar de maringaense de nascimento. O jornal objeto deste estudo, a Gazeta do Povo, que até então "estava no armário", ou seja, não assumia claramente sua posição ao extremo da direita político-ideológica, mas flertava com ela por meio de editoriais e reportagens contrárias a esquerda[9] e principalmente àquelas persecutórias aos réus ideologicamente alinhados à esquerda, em 2017 enfim mostrou-se a que veio. Contratou articulistas claramente adeptos ao neoliberalismo e ferrenhos defensores da punição aos réus

---

[8] Em 1954, uma polêmica investigação comandada pela Aeronáutica para apurar o atentado contra o jornalista Carlos Lacerda, principal opositor do então presidente Getúlio Vargas, ganhou o nome de "República do Galeão", uma vez que os suspeitos eram interrogados na Base Aérea do Galeão, no Rio de Janeiro. (GAZETA DO POVO, 2016). Possivelmente, "República de Curitiba" seria uma referência a esse episódio. Lula se refere a "República de Curitiba" em trecho de sua conversa com a (ex-)presidente Dilma divulgada por Moro (EL PAIS, 2016): "Eu, sinceramente, tô assustado com a 'República de Curitiba'. Porque a partir de um juiz de primeira instância [Moro] tudo pode acontecer nesse país".

[9] Coluna de Rodrigo Constantino publicada no jornal afirma: "A direita veio para ficar e é bom já ir se acostumando", numa referência à (àquela altura, possível) guinada ideológica do país e ao bordão do então candidato à presidência da República Jair Bolsonaro (presidente eleito naquele ano): "melhor jair se acostumando" (Gazeta do Povo, 2018).

envolvidos na operação Lava Jato[10], ao mesmo tempo que discípulos dos procuradores da força-tarefa e súditos do juiz Moro. Para completar, produziu matérias louvando os prodígios do magistrado e as expressões de apoio ao juiz federal em suas páginas[11], que agora (a partir de 2017) se restringem apenas ao ambiente online (aos domingos, porém, é publicada a versão impressa). E por que nós optamos pela análise de um jornal regional ao invés de um de expressão nacional para mostrar a construção dessa imagem heroica[12] do juiz Moro? Porque foi o olhar de (e a partir de) Curitiba (redações, correspondentes, jornalistas) que pautou o tom das matérias nos veículos do país inteiro. Da capital paranaense é que começou a emanar a aura do salvador da pátria Sérgio Moro, então a escolha do *corpus* e a ideia de imaginário, que é o suporte teórico do estudo, determinou nossa escolha pelo maior jornal em termos de circulação em Curitiba (e no Paraná). Dessa forma, ao contrário de um (*proto*) senso comum, que acreditaria

---

[10] No editorial "A lei está do lado de Moro" a Gazeta do Povo faz uma defesa enfática da divulgação do conteúdo da gravação entre os ex-presidentes Lula e Dilma em março de 2016. O início do texto já mostra o tom bajulador do veículo de comunicação paranaense: "Se desmoralizar o juiz federal Sergio Moro já era uma estratégia dos investigados da Lava Jato havia um bom tempo – até as atividades profissionais de sua mulher foram escrutinadas em busca de algo desabonador –, os ataques subiram muito de tom depois da condução coercitiva de Lula e do fim do sigilo sobre as interceptações telefônicas do ex-presidente" (Gazeta do Povo, 2016).

[11] O jornal faz questão de mostrar que o juiz tem o apoio da população curitibana. Em "Carreata em Curitiba declara apoio ao juiz Sérgio Moro e à Lava Jato" (Gazeta do Povo, 2016) o periódico busca o respaldo popular para sua opção na defesa do magistrado, como se tal opção tivesse alicerçada nos anseios de seus "leitores".

[12] O termo "heroica" se refere ao que vamos estudar: a jornada do herói proposta por Joseph Campbell (2007). De modo geral (pormenorizaremos adiante a ideia do autor), em todas as culturas o herói passa por diversas fases e etapas, saindo do mundo comum, atravessando diversos limiares, encontrando conselheiros que o ajudam a vencer seus oponentes, realizando muitos prodígios e voltando para casa com o elixir. Moro é um deles.

ser imperativo, para um estudo com essas características e envergadura, a busca de um *corpus* à altura, ou seja, a utilização de um veículo como Folha de S. Paulo ou O Globo por exemplo, de dimensões nacionais, nosso estudo procura expor o que está às margens (assim como faz o imaginário ao procurar nas margens o sentido do todo) revelando que esse periférico contém o material base para o todo, o principal. Traduzindo: num jornal regional local estaria o DNA da atmosfera da cobertura da imprensa em 2016.

Por buscar entender o *zeitgeist*[13] de uma época e utilizar uma metodologia não usual nesse tipo de estudo, o risco que esse autor pode estar correndo é o de ter que se justificar pela escolha do método e abordagem já que se pode pensar mais em especulação que comprovação factual do objeto analisado. Ocorre que o autor se autodenomina (com muita humildade) um pesquisador de viés dionisíaco e a escolha da metodologia busca ser coerente com esse "autobatismo" pois ao optar por um autor como Maffesoli e uma ideia[14] de imaginário para tentar entender como houve a construção do herói por meio da imprensa, não é de se esperar que se tenham dados passíveis de comprovação laboratorial ou reprodução *in vitro*. A sensibilidade, a atmosfera, o imaginário do período é o que mais interessa nesse estudo e as análises vão ao encontro dessa proposta. Portanto, essa advertência se faz necessária no

---

[13] Espírito da época.

[14] Maffesoli prefere a noção de ideia a de conceito por acreditar que a primeira é mais flexível que a segunda. Nas palavras do autor: "Por isso é preferível opor a moleza (i.e., flexibilidade, suavidade) da noção à rigidez do conceito. A primeira satisfaz nosso desejo de conhecimento, relativizando, ao mesmo tempo, o fantasma do poder que dormita em todo intelectual" (MAFFESOLI, 2010, p. 63). E continua, algumas linhas abaixo: "(...) a atitude nocional se apercebe da heterogeneidade; acerca de um mesmo objeto, ela fornece esclarecimentos diversos; enfim, indica que tal objeto é a um só tempo isto e aquilo".

sentido de se antecipar a possíveis questões sobre a escolha do tema e seus desdobramentos.

É necessário assinalar antecipadamente (ainda mais nos tempos de polarização exacerbada que vivemos[15]) que este estudo não é sobre Moro, o magistrado (e em 2019 Ministro da Justiça), a pessoa (portanto, há que se frisar que muitas passagens deste estudo chamam o "herói Moro" de "Moro" simplesmente, contudo não se está falando do indivíduo, e sim do figurino, do personagem – e este retratado pela mídia – que é o que nos interessa). Até por esse motivo (e principalmente pela metodologia utilizada) não julgamos pertinente uma entrevista com essa pessoa pois nada acrescentaria, por exemplo, saber dela se ela se considera herói nacional ou ícone da alguma coisa ou para alguém. Tampouco se buscou entrevistar os editores chefes dos jornais analisados pois mais interessa nesse estudo o que foi escrito e o que das palavras podem ser extraídos seus significados mais profundos, além do desvelamento do conteúdo, do que os motivos daqueles que a encomendaram a algum redator/jornalista de plantão. Interessa para esse pesquisador como a tecnologia (o jornal: impresso ou *online*) do imaginário contribuiu para a construção do herói nacional Sérgio Moro.

Também é preciso destacar que a escolha de um *corpus* mais "modesto" para mostrar a potencialização

---

[15] Chamamos esse tempo conturbado o que vem desde as manifestações de 2013 e que, no período em que este estudo é escrito (2016-2019) ainda perdura certo ambiente de animosidade em nossa sociedade. Por conta das eleições de 2018 por exemplo, diversas pessoas desistiram de passar a ceia de Natal com familiares e amigos que sempre costumavam se reunir. Matéria do portal UOL (2018) mostra diversos casos, entre os quais um em que o tio foi proibido de ver a sobrinha por conta das eleições: https://noticias.bol.uol.com.br/ultimas-noticias/eleicoes/2018/10/26/meu-irmao-me-proibiu-de-ver-minhas-sobrinhas-eleicoes-dividem-familias.htm.

do herói pela mídia, qual seja, o jornal Gazeta do Povo, em Curitiba, se deu por revelar o olhar do *general quarter* (Curitiba) do nosso herói. Talvez a escolha de um jornal de circulação nacional como Folha ou Estado de S.Paulo conferiram maior credibilidade ao que se pretende, contudo aqui se busca o olhar local, na tentativa de mostrar também que, em sendo veículos mais regionais, a perspectiva confere uma visão mais particularizada do caso, e também inédita.

A metodologia pode ser também questionada por conta da não convencionalidade da utilização de métodos tradicionais na nossa análise do *corpus* escolhido (por que não a semiótica? por que não a análise de discurso em Pêcheux? por que não Bakhtin?). Assim, chegamos a pensar até na noção de *ethos* em Charaudeau (2008), porém compreendemos que tal ideia não se coadunaria com a nossa principal linha de raciocínio de análise que é o imaginário, visto que o *ethos* confere um caráter individualizado do discurso e o imaginário é sempre coletivo (MAFFESOLI, 2001). Nesse sentido, a escolha metodológica foi algo pouquíssimo utilizada em estudos como esse, qual seja, a das tecnologias do imaginário (proposta por Juremir Machado da Silva) e já que o objeto de análise no nosso entendimento, carece de uma visão contextual relacionada a atmosfera envolta aos acontecimentos estudados, posto que é uma compreensão do fenômeno por dentro que deve ser considerada e deixando de lado o caráter supostamente neutro, adotamos então a postura da razão sensível (Maffesoli) na visada do nosso objeto de estudo. Assim, conseguimos empreender uma reflexão à moda do meu grande amigo Jonatas Rotter Cavalheiro em sua compreensão sobre o alcance do pensamento:

> Entendo que os pensamentos, herméticos, costumam ser curtos e que ampliamos horizontes na medida em que nos [sic] abrimos para as diferentes visões de mundo, ouvindo experiências, compartilhando o próprio coração e, por vezes, observando em silêncio (CAVALHEIRO, 2012, p. 9).

Ademais, entendemos que nossa opção metodológica faz eco com o pensamento de Carlo Ginzburg (1989) acerca de um paradigma indiciário que busque a interpretação da realidade, que por vezes pode nos parecer opaca, nos legando apenas sinais (indícios) que nos permitam revelá-la – e também descobrir suas sombras (SILVA, 2012). Ginzburg entende que o alcance do empreendimento dessa tentativa de compreensão do cotidiano carrega um dilema para as ciências humanas, e então (se) questiona:

> Mas pode um paradigma indiciário ser rigoroso? A orientação quantitativa e antiantropocêntrica das ciências da natureza a partir de Galileu colocou as ciências humanas num desagradável dilema: ou assumir um estatuto científico frágil para chegar a resultados relevantes, ou assumir um estatuto científico forte para chegar a resultados de pouca relevância (GINZBURG, 1989, p. 178).

Portanto, sabemos da empreitada metodológica e temos consciência da visada sob teorias pouco comuns, como dissemos anteriormente, mas dado o caráter propositivo deste estudo para a compreensão dos efeitos políticos e sociais do nosso país no final da década de 2010 (por meio do recorte do estudo do herói Moro pela mídia), é condição *sine qua non* a adoção de métodos incomuns para situações também excepcionais que a história reservou surpreendentemente aos brasileiros especialmente em fins de 2018 e 2019, com a eleição do deputado federal pelo Rio de Janeiro, Jair Bolsonaro à presidência da República, vencendo diversos concorrentes tradicionais da cena política como Geraldo Alckmin (PSDB), Marina Silva (Rede) e Fernando Haddad (PT)[16].

Um dos capítulos do estudo discorre sobre a cidade de Curitiba com o objetivo de fazer emergir o imaginário de uma cidade que com sua idiossincrasia só poderia ter parido toda a predisposição da mídia em potencializar o herói Moro do modo que foi feito. Muitos trechos relatam impressões (não há comprovação para tais pois, como bem destacado neste estudo, a proposta é narrar o vivido mais do que provar o que se viveu) sobre a capital paranaense e muitas delas podem soar ofensivas aos seus habitantes. Há que se salientar, portanto, que não se trata de uma generalização e tampouco uma particularização dos curitibanos – muitos deles fogem ao padrão descrito e o que se trata no geral não se aplica a muitos casos em particular. É só uma impressão de uma cidade de um "estrangeiro"[17], uma fotografia extraída de um momento crucial para a vida do país e que, ironicamente, reacendeu o orgulho do curitibano como parte de sua terra.

Enfim, no limite este estudo é uma tentativa de contribuir com os estudos da cena conturbada que tomou o país em 2016, uma maneira de explicar o golpe (e este pesquisador defende que o que houve não foi

---

[16] Sobre esse contexto, trazemos maiores informações no decorrer desta obra. Em relação ao candidato do PT, Fernando Haddad, embora fosse uma figura nova na política nacional, representava o ex-presidente Lula, este sim, desde os anos 1970 personagem presente no imaginário popular do país.

[17] Esse estrangeiro é aquele de fora da cidade, mas ainda no país, no caso, um paulistano, que sempre pensou Curitiba como a capital ecológica dos anos 1990 e que, ao chegar a cidade sentiu na pele o ouviu diversas histórias sobre seu "modo de ser".

impeachment, e sim um golpe jurídico-legislativo) jogando luz e, ao mesmo tempo, desvelando a narrativa do herói Moro que a mídia do país tratou de aprontar. A contribuição social deste estudo vai nesse sentido e é sob esse manto que, acreditamos, devamos ser lidos/analisados/julgados.

O recorte temporal estudado está circunscrito ao ano de 2016, e isso vale para a análise do *corpus* eleito para tal. No entanto, ao abordar o personagem Moro, nos diversos capítulos e em especial no terceiro trazemos informações e discussões de períodos diferentes ao estudado, já que este estudo é redigido entre os anos de 2016 e 2019 e nesse ínterim foram produzidos diversos materiais sobre o personagem que não poderiam ser desprezados em nosso estudo[18], além de, especialmente no início do ano de 2018, ter acontecido o apogeu do percurso do herói: a prisão do ex-presidente Lula, além de o magistrado ter sido indicado (e ter aceito) Ministro da Justiça pelo presidente eleito Jair Bolsonaro.

Este estudo, portanto, é uma visada do momento político social à luz do imaginário e suas tecnologias, utilizando como guia e lupa de leitura o protagonismo do juiz Sérgio Moro, emulado pela mídia como herói, em todo o processo do *impeachment*, com destaque para a mídia de seu *think tank*, a cidade de Curitiba, que também tem um grande papel como base "imaginal" na concepção do formato desse herói. É o que apresentamos nas páginas a seguir.

---

[18] Já que esse material é fundamental para consubstanciar as etapas da jornada do herói que Moro (pela mídia) perpassa nos textos produzidos naquele período.

OPÇÃO PELO ESTUDO DO HERÓI

"Ainda bem que o Brasil tem herói, o Moro!", afirmou em vídeo de 2018 o ex-prefeito de São Paulo João Dória[19]. Essa frase foi dita em referência à resistência de Moro a uma ordem de soltura de Lula (preso por ele, Moro) do TRF-4 dada pelo desembargador Rogério Favretto no dia 08 de julho de 2018. Foi um domingo ensolarado em Curitiba que viu metaforicamente o "tempo fechar" (e por vezes "abrir") para Lula durante o dia inteiro. A ordem foi proferida pela manhã, cassada no início da tarde, refeita no final dela e finalmente indeferida no início da noite pelo presidente do tribunal, chamado às pressas para decidir a questão. Moro estava de férias e mesmo assim deu a ordem[20] para manter o ex-presidente na prisão. Essa passagem inaugura a apresentação do personagem que nos propomos a estudar e, principalmente o contexto em que ele aparece na história.

No início de 2018 a Universidade de Brasília (UnB) criou uma disciplina optativa que visava discutir o golpe (*impeachment* da ex-presidente Dilma Rousseff, que para muitos caracterizou-se como golpe, apesar do – alegado – cumprimento legal do processo). Imediatamente o então ministro da Educação Mendonça Filho reagiu a essa iniciativa entrando com um recurso junto ao MEC para impedir tal curso alegando tentativa de proselitismo ideológico. Ato contínuo, em solidariedade ao professor que criou o curso na UnB, diversas outras universidades

---

[19] A notícia pode ser conferida em: <https://br.yahoo.com/noticias/ainda-bem-que-brasil-tem-173300221.html>. Acesso em: 08 jul. 2018.

[20] Legalmente Moro não teria como ter tal autoridade sobre os desembargadores do TRF4 (Tribunal Regional Federal da 4ª Região, que abrange os estados do Sul do país) mas simbolicamente sim. De fato, sim.

estaduais e federais resolveram também ofertar disciplinas semelhantes com o objetivo de estudar o chamado golpe (a Universidade Federal do Paraná inaugurou o seu no dia 16 de março de 2018).

A Gazeta do Povo, principal jornal da capital paranaense[21], fez um editorial criticando tais iniciativas. Vale dizer que o jornal é ideologicamente alinhado à direita – e com algumas doses de aproximação com a extrema direita, para ser mais claro. Esse mesmo jornal foi fundamental na potencialização do herói Moro, pois foi de Curitiba que o salvador da pátria forjado pela imprensa cumpriu o seu papel de herói, traçou a sua jornada.

A maioria das estórias sobre heróis "desloca o herói para fora de seu mundo ordinário, cotidiano, e o introduz em um Mundo Especial, novo e estranho" (VOGLER, 2006, p. 37). O herói Moro então sai do mundo da justiça para a terra estranha da política, onde precisa se ambientar e vencer os diversos desafios e provações. Como o herói vai para este novo mundo? O dispositivo que vai operar essa passagem é o "chamado para aventura" (CAMPBELL, 2007) pois, uma vez confrontado com esse chamado (VOGLER, 2006), não pode mais recusar. É o que aconteceu quando Moro descobre uma fraude num posto de gasolina que mantinha um serviço de lavagem a jato de autos e que posteriormente se descobre que, além de empresários e doleiros, políticos, e os das mais altas "patentes", estariam envolvidos no esquema. Ele então não pode mais recusar. Como não o recusou, sua jornada ali se iniciou, pois aí então ele sai do mundo comum rumo ao seu destino, qual seja, o de livrar o país dos corruptos.

---

[21] O jornal faz parte do GRPCOM (Grupo Paranaense de Comunicação) uma *holding* que abriga diversas empresas de comunicação como, além da Gazeta, o periódico Tribuna, as Rádios 98FM e Mundo Livre FM e a RPC, que é a TV afiliada à Rede Globo.

O contexto histórico em que se insere o objeto de pesquisa é o que abrange o ano de 2003 a 2016, portanto, um período de 13 anos. Este estudo nos remete ao início dos anos 2000 por conta de reportagens sobre o caso Banestado em que o herói Moro, então um dos juízes naquela operação, começa a aparecer na imprensa e culmina com a Operação Lava Jato, até o momento em que acontece a efetivação do *impeachment* da (ex-) presidente Dilma Rousseff, em 31 de agosto de 2016. A escolha deste recorte temporal parte do ano em que o herói Moro começa a fazer parte do noticiário brasileiro em 2003[22] e vai até 2016 por conta do fato político mencionado devido à polêmica sobre a atuação do magistrado no caso e, também, sua provável tendência ou predileção em selecionar seus investigados. Por conta disso, Moro tem sido acusado de ser instrumento de alguns partidos na perseguição a outros, além de ter colaborado fortemente para abertura do processo de cassação da ex-presidente quando da divulgação de áudio de conversa entre esta e o também ex-presidente Lula.

A operação em que o herói Moro começa a aparecer na mídia é a que investigava uma agência do banco do governo do Paraná (Banestado) e possível uso deste para operações ilegais de remessas de dinheiro ao exterior.

O caso Banestado se inicia quando uma equipe da Polícia Federal foi enviada em 2001 para Nova York com o objetivo de investigar remessas de cerca de US$ 30 bilhões para contas do Banestado no exterior, feitas por meio das contas CC-5 – contas que servem para que empresas multinacionais ou brasileiras com interesses no exterior transfiram dinheiro para fora do país, também

---

[22] O ano de 2003 marca o início da nossa visada, mas a análise das matérias sobre o magistrado, circunscrevem-se a um período mais enxuto: 2016 com aproximações pontuais em 2017 e 2018.

utilizadas para o envio de dinheiro a brasileiros que moram no exterior.

No entanto, esse caso tem raízes ainda mais antigas que nos transportam ao final dos anos 1990. Segundo a revista *CartaCapital* em reportagem publicada no final de 2015 a identificação de operações suspeitas por meio das CC5 deu-se por acaso, durante a CPI dos Precatórios, em 1997, que apurava fraudes com títulos públicos em estados e municípios. Entre as instituições usadas para movimentar o dinheiro do esquema apareciam agências do Banestado na paranaense Foz do Iguaçu, localizada na tríplice fronteira entre Brasil, Paraguai e Argentina e famosa no passado por ser uma região de lavagem de dinheiro.

Das agências, os recursos ilegais seguiam para a filial do Banestado em Nova York. Informado das transações, o Ministério Público Federal recorreu ao Banco Central, à época presidido por Gustavo Loyola. Os procuradores comunicaram em detalhes ao BC as movimentações suspeitas.

Com a quebra de sigilo em massa determinada pela Justiça, milhares de inquéritos foram abertos em todo o país, mas nunca houve a condenação definitiva de um político importante ou de representantes de grandes grupos econômicos. Empresas citadas conseguiram negociar com a Receita Federal o pagamento dos impostos devidos e assim encerrar os processos contra elas.

O Ministério Público chegou a estranhar mudanças repentinas em dados enviados pelo governo de Fernando Henrique Cardoso. Em um primeiro relatório encaminhado para os investigadores, as remessas da *TV Globo* somavam o equivalente a 1,6 bilhão de reais.

Mas um novo documento, corrigido pelo Banco Central, chamou a atenção dos procuradores: o montante passou a ser de 85 milhões, uma redução de 95%. A *RBS*, afiliada da *Globo* no Rio Grande do Sul – e que em 2015 esteve envolvida no escândalo da Zelotes – também foi beneficiada pela "correção" do BC: a remessa caiu de 181 milhões para 102 milhões de reais.

A quebra do sigilo demonstrou que o Grupo Abril, dono da revista *Veja*, fez uso frequente das contas CC5. A *Editora Abril*, a *TVA* e a *Abril Vídeos da Amazônia*, entre outras, movimentaram um total de 60 milhões no período. O *SBT*, de Silvio Santos, enviou 37,8 milhões.

A revista ainda conta que a CPI terminou sem relatório algum e que os personagens (juízes, promotores, delegados) foram estrategicamente "esvaziados" de função. Pressionado, o juiz Fausto De Sanctis (o Sérgio Moro da época) viu-se obrigado a aceitar a promoção para a segunda instância, onde cuida de processos previdenciários. O delegado e ex-deputado Protógenes Queiroz foi perseguido e tratado como vilão. Acabou exonerado da Polícia Federal.

Não foi muito diferente com Celso Três e José Castilho. O procurador despacha atualmente (2015) em Porto Alegre. O delegado foi transferido para Joinville, em Santa Catarina, e nunca mais chefiou uma operação.

A reportagem termina ironizando o papel do juiz Moro no caso: "Nenhum deles foi elevado ao pedestal como o ex-ministro do STF Joaquim Barbosa e o juiz Sergio Moro, que agora colhe as glórias negadas durante o caso Banestado. Teria o magistrado refletido sobre as diferenças entre uma e outra investigação?". Essa pergunta serve para apontar a atuação contraditória do juiz consagrado como herói nos processos da Lava Jato.

A trajetória do herói Moro nas páginas da mídia impressa vem desde o caso Banestado, em 2003. Na ocasião, o juiz havia mandando prender o doleiro Alberto Youssef, que na época "ainda não tinha se tornado famoso no Brasil inteiro, mas já era influente e poderoso no Paraná" (NETTO, 2016, p. 31).

Em reportagem de agosto de 2004[23], o jornal Folha de S. Paulo relata a condenação de ex-diretores do Banestado e cita o juiz Moro, na ocasião, na 2ª Vara Criminal de Curitiba. O texto não faz juízo de valor à figura do magistrado, limitando-se apenas a contar sua participação como aquele que proferiu a sentença no caso. Na reportagem do (relativamente) longínquo ano de 2004 a defesa reclama de um comportamento que viria a ser repetido pelos advogados do ex-presidente Lula e de outros envolvidos no processo do Tríplex no Guarujá[24]: o de que o juiz não consideraria os argumentos da defesa em seus julgamentos, tendo, portanto, um posicionamento parcial nos casos: "O advogado de Almeida Jr., Alcides Bitencourt Pereira, disse que seu cliente é inocente e que o juiz 'condenou por atacado' e 'não ouviu os argumentos da defesa'" (FOLHA DE S. PAULO, 2004, *online*).

A BBC Brasil publicou em março de 2016 matéria sobre o juiz questionando: "herói anticorrupção ou incendiário?". No texto a jornalista Ruth Costas diz que "para uma grande parte da população, Moro, da 13ª Vara Federal do Paraná, é um herói nacional" e, também mostra o outro lado: "já simpatizantes do governo o acusam de 'agir politicamente' e de inflar os ânimos da população de forma 'irresponsável'". A jornalista vai fazendo o contraponto a cada parágrafo, ora mostrando quem vê

---

[23] O texto está disponível em: <https://www1.folha.uol.com.br/folha/brasil/ult96u62914.shtml>. Acesso em: 12 out. 2018.

[24] Processo em que o ex-presidente Lula foi condenado a prisão pelo juiz Moro com pena de 09 anos e 6 meses em regime fechado.

o juiz como herói, ora uma outra face. No entanto, nas linhas finais faz uma breve biografia de Moro, revelando algumas características:

> Em 1996, com apenas 24 anos, Moro passou em um concurso para se tornar juiz federal. Fez mestrado e doutorado, estudou na escola de direito de Harvard e participou de programas de estudos sobre o combate à lavagem de dinheiro do Departamento de Estado dos EUA (...) Ele é extremamente estudioso e as experiências internacionais parecem ter ajudado muito em sua formação. "Cada vez que viaja volta com um monte de livros", diz Carlos Zucolotto, amigo de Moro e de sua mulher, Rosângela, que chegou a trabalhar em seu escritório de direito trabalhista no Paraná. (BBC BRASIL, 2016).

A jornalista da BBC ainda fornece depoimentos de amigos sobre as acusações ao juiz de ser filiado a partidos políticos: "Conheço a família há muitos anos e posso garantir que essas acusações são absurdas e já foram desmentidas".

Embora haja alguma menção ao caso do Banestado, ou a outras investigações e, também especialmente à Lava Jato, o que interessa neste estudo é a figura de herói que a mídia foi construindo ao longo desse tempo todo. O objetivo é destacar que a personagem só se revela quando da Operação Lava Jato em seu curso e principalmente no momento em que o magistrado solicita a condução coercitiva de Lula, no ano de 2015, bem como a divulgação dos áudios entre Lula e Dilma[25]. Nesse período as matérias já conferem o tom de heroísmo ao juiz Sergio Moro (incluindo capas de jornais e revistas) e é sobre esse tema que os

---

[25] No nosso entendimento é a partir da divulgação do áudio da conversa entre Lula e Dilma que o juiz entra no jogo político e o coloca no percurso do herói nos termos de Campbell, já que essa ação interfere diretamente na derrubada de uma presidente eleita pelo povo.

capítulos desse estudo de forma geral e especialmente o quarto, pretende discorrer.

Para entender o momento, o contexto em que o herói foi forjado, temos como pressuposto a ideia de imaginário, principalmente com Durand, Maffesoli e Silva, este último com destaque para as Tecnologias do Imaginário, proposta metodológica deste estudo, como subsidiária à Sociologia Compreensiva, em Maffesoli.

ABORDAGEM QUALITATIVA COMO MÉTODO

A abordagem qualitativa destacada aqui neste espaço remete a Godoy (1995) para quem é preciso considerar a valorização do contato direto entre pesquisador e o ambiente pesquisado; a proeminência da palavra em lugar da expressão numérica e quantitativa; a preocupação em compreender os fenômenos a partir do significado que as pessoas dão às coisas e à vida; o foco e questões de interesses amplos sem hipóteses estabelecidas *a priori*.

Estudar os acontecimentos sociais (GOMES, 2016) requer métodos e dados para que se possam observar os acontecimentos de modo sistemático, analisar os sentidos, entrevistar e interpretar os materiais e proceder à análise sistemática. Os dados formais exigem certa *expertise* para serem produzidos como, por exemplo, os textos jornalísticos que representam o mundo para seus leitores. O jornal, portanto, indica uma visão de mundo que é posta em circulação (BAUER; GASKELL, 2008).

Dessa forma (STUMPF, 2010), a pesquisa bibliográfica vislumbra o estudo como um todo a partir da busca de bibliografia que exponha o pensamento dos autores e as próprias ideias e argumentos do pesquisador. "Num sentido restrito, é um conjunto de procedimentos que visa identificar informações bibliográficas, selecionar documentos pertinentes ao tema estudado e proceder à respectiva anotação ou fichamento das referências e dos dados dos documentos." (STUMPF, 2010, p. 51).

Para a coleta de dados utilizamos a pesquisa documental utilizando principalmente jornais diários em suas versões *online* e impressa para qualificação do estudo. Documentos (GIL, 2009, p. 147) não são apenas escritos que esclarecem algo, mas "qualquer objeto que possa contribuir para a investigação de determinado fato ou fenômeno". No entanto, nossa análise foge bastante da rigidez da circunscrição ao fato em si por motivos que detalhamos logo adiante, mas que aqui acreditamos importante assinalar como opção epistemológica inspirados em Feyerabend quando adverte sobre as regras e normas para interpretação dos fatos:

> Em uma análise mais detalhada, até mesmo descobrimos que a ciência não conhece, de modo algum, 'fatos nus', mas que todos os 'fatos' de que tomamos conhecimento já são vistos de certo modo e são, portanto, essencialmente ideacionais (FEYERABEND, 2011, p. 33).

É esse caminho que procuramos percorrer quando da escolha do objeto de pesquisa, estrada essa sinuosa, mas que, no nosso entendimento, é a que pode levar este estudo ao seu destino da maneira mais clarificante possível, compreendendo o caminho do dia a dia do seu percurso.

SOCIOLOGIA COMPREENSIVA – A NARRAÇÃO DO VIVIDO

Como já demonstramos por meio da seção anterior quando sinalizamos o tipo de pesquisa delineada neste estudo, optamos por não criar um capítulo ou seção especial denominado "Metodologia" ou algo análogo. Dessa forma, como linha mestra da estrutura da nossa narrativa, o Imaginário e suas Tecnologias (princípios metodológicos deste estudo) em Maffesoli, Silva e Durand percorrem todos os capítulos deste estudo concomitante aos estudos de Campbell, por entendermos tratar-se de um conceito indissociável do herói e sua jornada e que faz eco com a construção e potencialização do herói Moro na mídia brasileira. Evidente que outros autores contribuem de forma colateral ao nosso propósito, tais quais Morin, Bourdieu e Bachelard, entre outros, e estes então vão sendo incorporados no texto ao longo do caminho.

No entanto, acreditamos ser necessário apresentar aqui de modo um pouco mais detalhada a metodologia utilizada, qual seja, a sociologia compreensiva[26] como método, a partir de Maffesoli (2010) que promove uma abordagem socioantropológica do imaginário onde se descreve e compreende os fenômenos do cotidiano. Esta "sociologia

---

[26] A sociologia compreensiva surge com o alemão Max Weber, considerado um dos fundadores da Sociologia. Weber desenvolveu o *Verstehen* (compreensão), método compreensivo para estudar a ação, os fatos humanos na sociologia. Para o autor, esta é uma ciência que visa "compreender interpretativamente as ações orientadas por um sentido". (WEBER, 2010, p.14). Para Weber, as pessoas não têm consciência do sentido de suas ações e agem por impulso ou costume na maioria das vezes. As emoções e estados afetivos irracionais intervêm nas atividades humanas e devem ser consideradas na atitude compreensiva. A abordagem compreensiva permite descrever e interpretar a ação social a partir de evidências não apenas racionais, que podem ser apreendidas intelectualmente de modo imediato e claro.

do lado de dentro" (2010, p. 31) concebe o pensador implicado no mundo que descreve, distanciando-se da oposição sujeito e objeto, forma e conteúdo. Entendemos ser necessária essa visão de dentro para fora porque, mesmo à luz do imaginário e suas tecnologias, seu pesquisador é aquele que desvela o que está encoberto e essa seria sua função, incluindo a de narrar o vivido, o cotidiano, e um cotidiano em que o pesquisador nele esteja implicado, o que é o caso deste estudo. Além disso, o método de análise e a visada ao material analisado carrega o viés do "empirismo especulativo", ou seja, "a produção de uma razão sensível, capaz de considerar os elementos mais diversos da prática social" (MAFFESOLI, 2011, p. 18). O sociólogo francês ainda enfatiza em obra mais recente, a importância do papel de tal pensamento:

> Tal "razão sensível" combate, com serenidade e desenvoltura, a concepção da Verdade como certeza/retidão (prevalecente no saber estabelecido e nas diversas instituições do academismo intelectual) onde só importa o que é quantificável. É necessário precisar que o pensamento holístico (ecosofia) não descreve o mundo "ao inverso" que seria o apanágio de alguns sonhadores hamletianos, mas, ao contrário, "o lado direito" do mundo. O que é justo, isto é, o *lugar* do estar-junto; sua biosfera. É tudo isso que significa, em seu sentido forte, a "razão sensível": saber colocar em ação a paixão para pensar o *pathos* do estar-aí (ser-aí) (MAFFESOLI, 2016, p. 20).

E ainda continua (MAFFESOLI, 2016, p. 20) nessa linha de defesa de sua ideia:

> O grande fantasma da "Infalibilidade" científica tem um nome: "taxinomia". Essa obsessão do quantitativo acreditando que é possível apreender o vivo por meio

de uma classificação sistemática ou, antes, de uma classificação numérica. Jogando com as palavras, mostrei, a seu tempo, que a taxinomia se tinha tornado rapidamente uma "taxidermia". Os objetos sociais sendo, a partir de então, empalhados e não tendo mais senão a aparência da vida!

Toda pesquisa precisa de um rigor metodológico que possa conduzi-la aos objetivos propostos pelo estudo e acreditamos que ela é escolhida impulsionada por esse mesmo objeto. No nosso caso, a eleita é a sociologia compreensiva, de Maffesoli, intercambiada pela tecnologia do imaginário (noção formulada por Juremir Machado da Silva). Aqui fazemos uma ressalva sobre o motivo de não termos escolhido caminhos metodológicos comumente mais utilizados, "mais populares" e aplicados a estudos que se propõem a buscar entender como uma reportagem ou matéria de jornal ou revista queira revelar isto ou aquilo, tal qual é o nosso caso. Talvez a análise do discurso fosse o mais adequado nesse momento, mas esta metodologia (no nosso entendimento) já não dá conta das particularidades e vicissitudes que o momento da construção do herói ensejou. Desejamos entender o contexto do surgimento desse personagem, queremos captar a aura do *zeitgeist*, e, por esse motivo a ideia do conhecimento comum de Maffesoli, além da pujança das tecnologias do imaginário no impulsionamento dos pensamentos, intenções, hábitos e sentimentos metamorfoseando-os em concretude de ação, é que podem nos mostrar como é possível então surgir o herói em meio a um clima de catarse social como o foi o ano de 2016 em território nacional. Dessa forma, por exemplo, estamos mais preocupados em identificar o invólucro do objeto que seu conteúdo propriamente estabelecido. Traduzindo: interessa-nos mais saber em que contexto e sob quais ideias preconcebidas a matéria sobre o herói Moro foi produzida que sua exumação, como comumente o fazem as análises de discurso convencionais[27].

O destaque que este estudo confere a Maffesoli, utilizando duas noções centrais de seu pensamento (conhecimento comum e imaginário), se dá pelo fato de o teórico francês ser um dos maiores estudiosos do cotidiano e, principalmente, por traduzir como poucos o mais comezinho dos valores ordinários das pessoas comuns, dos problemas comuns, nas situações mais banais. Nesse sentido, o protagonismo de Moro é o das pessoas comuns, pois ele é oriundo do mundo ordinário, embora de uma elite intelectual e de classe média (em termos de renda, mas também de acordo com a aspiração e seus privilégios[28]).

Como nos ensina Simmel (2006), a sociologia não é somente uma ciência com objeto próprio, delimitado e reservado para si, mas ela também se tornou sobretudo um método das ciências históricas e do espírito. Sendo assim, continua o sociólogo (SIMMEL, 2006, p. 22), "a sociologia se aclimata a cada campo específico de pesquisa, tanto no da economia como no campo histórico-cultural, tanto no ético como no teológico". No nosso caso em particular, reiteramos que elegemos a sociologia compreensiva já que esta "(...) pretende ser um discurso 'do' social e estas (...) descrevem a atuação das tecnologias na produção dos imaginários" (SILVA, 2012, p.80-81). Assim sendo, este estudo procura narrar

---

[27] Entendemos como convencionais as que são mais utilizadas para análise de textos ou matérias jornalísticas, tais como as de Orlandi, Saussure ou mesmo as de linha francesa, embora estas possam nos ser úteis, como é o caso da análise crítica do discurso de Van Dijk ou mesmo as ideias de Pêcheux.

[28] Jessé Souza (2018) propõe uma nova classificação de estratos sociais que estámelhor exposta nas considerações finais deste estudo.

o vivido, lançar um olhar sobre o cotidiano desvelando o que nas matérias dos jornais (*corpus* deste estudo) estaria encoberto na pretensão de, pela sutileza muitas vezes, e crueza em outras, mostrar que tais narrativas estariam construindo a personagem do herói Moro, e de modo especial trilhando a jornada do herói em Campbell (2007).

Cabe destacar que no nosso estudo nos inspiramos na atitude maffesoliana que requer o relativismo, a abdicação da normatividade e da avaliação que reduzem a complexidade da vida expressando-a em conceitos e categorias. Assim como Durand, o autor atesta que a razão não dá conta de compreender a multiplicidade, o impulso, as paixões e os paradoxos do cotidiano. A sociologia deve incorporar a imaginação, a natureza e o orgânico (GOMES, 2016).

Maffesoli (2003) busca entender a sustentação da vida, o que mantém o mundo unido apesar das crises e nesse sentido entende a Comunicação como "cola social" que agrega as pessoas, criando afinidades e construindo pontes. Maffesoli na verdade (SILVA, 2004) busca compreender o papel da Comunicação nas sociedades pós-modernas, por isso, é considerado um sociólogo da comunicação, embora ele rejeite tal titulação.

Evocando Habbermas, Maffesoli (2010, p. 61) ainda assevera o imperativo de (re)pensar outras visadas em relação à Comunicação:

> É importante reconhecermos que a ciência positivista é apenas uma das modulações do conhecimento. Isto porque, tal como observa J.Habermas, um cientismo que repouse na pretensão hegemônica do século XIX não estará em condições de apreender a desordenada e contínua "atividade comunicacional", que, de múltiplas maneiras, eclode em nossos dias.

O imaginário remete ao termo imagem e esta (GOMES, 2016) possui função totêmica na contemporaneidade porque agrega as pessoas que partilham um imaginário em torno das imagens disseminadas pela mídia. Não existe finalidade em se comunicar, apenas o desejo de estabelecer comunhão, partilha. Daí a noção de tribalismo cunhada por Maffesoli para expressar a vontade de estar-junto, o gregarismo estabelecido por empatia, afinidade eletiva. "Enfim, comunicar é religar, associar, ligar, estabelecer laços sociais, vibrar juntos, participar de uma atmosfera, tornar concreta uma 'ambiência', mergulhar em relações gregárias e sempre abertas a outros." (SILVA, 2004, p. 45).

Por fim, e em defesa de nossa escolha metodológica (sobretudo conscientes da arregimentação interpretativa do objeto analisado) buscamos em Maffesoli o conforto epistêmico para nossa empreitada:

> Piruetas há que em nada se assemelham a renúncias do espírito – senão a convites a uma compreensão mais profunda. Ao deixarmos um problema aberto (após propormos suas linhas gerais), suscitamos debate e proposições contraditórias, coisas que tão bem se enquadram à diversidade social. É claro que esse procedimento de abertura será pouco satisfatório para *todos os que têm necessidade de obter certezas* [grifo nosso]. O movimento em espiral da reflexão é inquietante; e o fato de lançarmos ideias – que não raro, vêm a ser retomadas após terem sido atacadas ou consideradas extravagantes – é nada menos que confortável. Todavia, à maneira da deambulação existencial, trata-se de uma audácia do pensamento que nada tem a fazer com prudências pequeno-burguesas ou conformismos intelectuais. (...) Com efeito, quem propõe, se expõe (MAFFESOLI, 2010, p. 45).

Sendo assim assumimos uma postura dionisíaca em oposição à apolínea, conforme distinção do Prêmio Nobel Szent-Gyorgyi, para quem o pesquisador apolíneo era aquele que (MAFFESOLI, 2010, p. 45) "consolida, e mesmo melhora, o que lhe revelam suas investigações, e o pesquisador 'dionisíaco', inaugura linhas originais de indagação". Não que tal posicionamento seja deliberado, mas que se assume como tal dada a caracterização da proposta e principalmente sua metodologia escolhida – muito menos que este pesquisador se julgue um "homem à Métis"[29]. Trata-se apenas, e tão-somente, de uma defesa de nossa opção.

A análise das matérias foi feita de acordo com a sequência estágios do herói-tecnologias do imaginário-imaginário-período de votação do impeachment/ da (ex-) presidente Dilma-condenação de Lula. Assim, buscou-se discutir como determinada matéria do *corpus* contribuía para a construção do herói Moro de acordo com o estágio do herói, o papel do imaginário nesse conteúdo e o momento (a atmosfera) de sua publicação. Voltamos a destacar que esse estudo não se propõe a contabilizar determinados termos, expressões ou palavras numa abordagem semiótica ou de outras ordens para fins de análise discursiva.

A escolha do recorte temporal para o percurso de análise do material está descrita e pormenorizada nos capítulos 3 e 4, já que, como assinalamos anteriormente, pretendemos expor nossa metodologia durante este estudo e não numa seção única e especial para isso (aqui fazemos um panorama da proposta metodológica tão-somente).

Como recurso para um critério de seleção do material a ser analisado, utilizamos a metodologia indiciária na tentativa de identificar indícios que possibilitem inferências a partir dos cruzamentos do aporte teórico, empiria e análise das matérias selecionadas, nos termos de Braga (2008, p. 78):

---
[29] Homem de inteligência sensível.

> Apesar da proximidade com o concreto, o indiciário não corresponde a privilegiar exclusivamente o empírico. A base do paradigma não é colher e descrever indícios, mas selecionar e organizar para fazer inferências. Uma perspectiva empírica ficaria apenas na acumulação de informações e de dados a respeito do objeto singular (2008, p.78).

Dessa forma, delineamos então os objetivos de pesquisa, a problemática e o *corpus*, que na próxima seção apresentamos mais pormenorizadamente.

POR QUE ESTUDAR O TEMA

Esta pesquisa surge então para responder à seguinte questão: em que medida a mídia brasileira foi capaz de criar o herói Moro para uma nação a partir de uma operação narrativa-imagética contida em reportagens e textos opinativos (em particular, com destaque para o da Gazeta do Povo – maior jornal em circulação[30] no Paraná)?

A hipótese é que a grande mídia brasileira[31] (por possuir o poder do discurso envolvendo o imaginário materializado por suas tecnologias) tem a capacidade de forjar heróis que façam com que as pessoas possam neles

---

[30] Em 2016 o jornal tinha circulação de 29.660 edições diárias impressas e 14.462 já em 2017 (MEIO E MENSAGEM, 2017)

[31] Entende-se como grande mídia aquela composta pelos principais grupos de comunicação do país. A RPC, dona da Gazeta do Povo e também retransmissora da programação da Globo pode ser considerada uma delas porque está entre os maiores do país. Em termos simbólicos, a Gazeta do Povo é o jornal que fala a partir do *think tank* da Operação Lava Jato, e com seus jornalistas estando mais próximos (fisicamente e por meio das relações já estabelecidas com o Poder Judiciário) das fontes desta Operação, torna o veículo parte do rol dos grandes de mídia no país.

se espelhar e confiar e o juiz Moro é uma dessas criações, assim como o foram os heróis de outras matizes, como Ayrton Sena, no automobilismo, ou Pelé, no futebol.

O objetivo geral deste estudo é desvelar a construção do herói Sergio Moro, pela mídia brasileira (utilizando como perspectiva o jornal de maior circulação na capital paranaense em 2016, a Gazeta do Povo), por meio da tecnologia do imaginário; já os específicos são os abaixo destacados:

a) mostrar o percurso da jornada do herói em Campbell e sua equivalência com o herói Moro na mídia;

b) mostrar como o imaginário e suas tecnologias contribuem para a construção do herói Moro;

c) compreender o processo de construção do herói no seu *habitat* (por meio de análise de reportagens do jornal *Gazeta do Povo*) à luz das etapas da jornada do herói (Campbell);

d) identificar vozes dissonantes na mídia na construção do herói Moro na cidade de Curitiba.

A tese proposta é que a mídia (com destaque para a imprensa escrita) como tecnologia do imaginário, pelo seu poder de sedução, consegue por meio de suas narrativas, constituir heróis (como também vilões) potenciais salvadores da pátria – e nessa pesquisa, em particular, falamos do Brasil. No nosso caso estudado, a mídia construiu o herói Moro, a partir de seu *general quarter*, a República de Curitiba, e essa é a razão pela qual são analisados periódicos restritos ao Estado do Paraná (Gazeta do Povo) e nacionais que também estão à disposição dos paranaenses (Brasil de Fato, Portal 247 e Blog do Esmael), mas que no contexto político social brasileiro de 2016 gozaram de evidência (e até prestigio) nacional.

O *corpus* é constituído por 06 matérias do jornal Gazeta do Povo publicadas nas versões impressa e digital do periódico, além de uma (01) matéria de cada um dos jornais Brasil de Fato, Portal 247 e Blog de Esmael, totalizando 09 reportagens. A Gazeta do Povo foi escolhida por ser o jornal de maior circulação na cidade de Curitiba[32], conforme já assinalamos anteriormente.

Dessa forma, este estudo está distribuído em seis capítulos, incluindo esta introdução (onde apresentamos os objetivos, problemática, hipótese, metodologia e apresentação dos capítulos do estudo) e considerações finais. No primeiro capítulo *Jornada do Herói*, temos como objetivo apresentar as etapas e fases da jornada do herói proposta por Cambpell (2007), tensionando esse caminho em Vogler (2006) e fazendo um aporte, quando possível, ao herói Moro construído pela mídia, além de trazer um perfil do juiz Sérgio Moro, com uma breve biografia do magistrado. No capítulo seguinte, *O Imaginário* descrevemos a ideia de imaginário para Durand, Maffesoli e Silva, além das suas tecnologias (conceito formulado por Silva) e como esse arcabouço teórico contribui para o entendimento do nosso estudo. Com *A Nova Cafarnaum (ou República de Curitiba)* apresentamos o contexto em que o herói surge (a capital paranaense) e empreendemos a análise do processo de construção do herói no seu *habitat* (por meio do estudo de reportagens do jornal *Gazeta do Povo*). Por fim, em *Mas os seus o rejeitaram: 3 vezes não ao herói Moro* o objetivo é identificar vozes dissonantes na mídia

---

[32] Curitiba têm cerca de 40 jornais em circulação (a maioria é jornal de bairro), mas o mais importante deles em assinantes (digitais e impressos) e importância (em relação aos colunistas contratados e ao grupo de mídia a que pertencem, a GRPCOM, que, como já mencionado, é dona da RPC, retransmissora da TV Globo em Curitiba) é a Gazeta. A lista completa pode ser conferida em: <https://www.guiademidia.com.br/parana/jornais-de-curitiba.htm>. Acesso em: 08 jan. 2019.

em relação à construção do herói Moro em sua própria terra (entendendo-se aqui não somente Curitiba mas também o estado do Paraná) e analisamos algumas reportagens dos jornais Brasil de Fato, Brasil 247 e Blog do Esmael (todos no período do processo de *impeachment* da presidente Dilma Rousseff e alguns extemporâneos mas cruciais para a construção do herói), periódicos digitais com opiniões divergentes da Gazeta do Povo.

Como método destas análises, utilizamos as tecnologias do imaginário iluminando os estágios da jornada do herói engendrada pela narrativa midiática sobre o juiz Moro. Ou seja, fazemos uma correspondência de cada um dos estágios da jornada do herói nas publicações por meio das tecnologias do imaginário, como bem demonstramos nas páginas iniciais desta seção.

Sendo assim, este estudo tem o fito de mostrar que o herói Moro, para além de seu personagem, é aquele que mimetiza os anseios de uma parte da população que "sentada no sofá de sua sala [especialmente lendo seu jornal, ou notícia recebida via *whatsapp*] se satisfaz com o gozo do outro" (BAUDRILLARD, 1997) e aposta que essa procuração dada ao seu herói seja cumprida – e a imprensa foi subscritora desse "documento", portanto, não só se congratula com os feitos do outro (no caso, o herói) como sente orgulho dessas ações justamente por ter parte nessa construção do mito, mito este que foi potencializado por meio do imaginário da época.

Em seu discurso acerca da resistência do imaginário, Gilbert Durand mostra que ainda há espaço para outras formas de pensamento por meio das imagens:

> Mas Platão sabe que muitas verdades escapam à filtragem lógica do método, pois limitam a Razão à antinomia

e revelam-se, para assim dizer, por uma intuição visionária da alma que a antiguidade grega conhecia muito bem: o mito. Ao contrário de Kant, e graças à linguagem imaginária do mito, Platão admite uma via de acesso para as verdades indemonstráveis: a existência da alma, o além, a morte, os mistérios do amor...Ali onde a dialética bloqueada não consegue penetrar, a imagem mítica fala diretamente à alma (DURAND, 2014, p. 16-17).

Inspirados em Durand, essa é a intenção subliminar desse estudo: mostrar que o mito construído (o herói) de Moro foi arquitetado mais com os olhos fixados na alma e corações dos leitores que em suas mentes, por isso a sedução exercida pelo jornal como tecnologia do imaginário, posto que apenas este consegue atingir tais sentidos de seus leitores, em sintonia com o ódio à esquerda e ao PT especificamente que a eleição de 2018 pode sacralizar[33].

Nesse sentido, e nos capítulos subsequentes, temos a proposta deste estudo delineado de modo a apresentar aos leitores todo o arcabouço teórico que ensejou a construção do herói pela mídia brasileira que, parafraseando o nosso título e, também os adesivos dos carros (Cf. anexo), é aquele que poderia "livrar-nos do mal".

---

[33] Jair Bolsonaro (PSL) foi eleito em 2018 com 55,13% dos votos válidos contra 44,87% de Fernando Haddad, do PT. No Paraná Bolsonaro obteve 68,43% contra 31,57%. Em Curitiba o placar foi 76,54% para o pesselista ante 23,46% ao petista (http://divulga.tse.jus.br/oficial/index.html). Acesso em: 08 jan. 2019).

JORNADA DO HERÓI

> Com efeito, quem propõe, se expõe
> (Michel Maffesoli)

Em 2016 Moro gozava de enorme popularidade[34] e era inclusive cotado como possível candidato à presidência da República; já no final de 2017 mais de 50% disseram rejeitar o magistrado[35]. O estudo é um retrato da fotografia da época, 2016, portanto, a oscilação de aceitação do herói não descaracteriza esse trabalho posto que seu objetivo é mostrar como a imprensa construiu sua imagem naquele período e em especial a partir do seu local de atuação, qual seja, a chamada República de Curitiba/PR, *habitat* do herói. Aliás, com efeito não há veículo mais apropriado para iniciar tal trajeto como o de maior circulação na capital paranaense, a saber, a Gazeta do Povo, um jornal que em 2017 passou a circular apenas na versão digital (manteve a impressa aos domingos) e assumiu uma posição conservadora (na verdade, já vinha apresentando tal tendência mas naquele ano o jornal também "saiu do armário").

Neste primeiro capítulo procuramos descrever a jornada do herói (CAMPBELL, 2007) e suas vicissitudes tangenciando a narrativa com autores como Vogler, Bulfinch

---

[34] Pesquisa mostra que se Moro fosse candidato à presidência teria quase 70% dosvotos. Disponível em: <http://www.gazetadopovo.com.br/vida-publica/moro-poderia-ter-ate-678-dos-votos-para-presidente-diz-pesquisa--3v8bh637scg9p62fciu9ynqxv>. Acesso em: 24 dez. 2017.

[35] Já em dezembro de 2017 pesquisa Ipsos/ Estadão revelou que 53%rejeitam Moro, índice maior que o da rejeição de Lula. Disponível em: <https://www.cartacapital.com.br/politica/mais-da-metade-da-populacao-desaprova-moro-aponta-pesquisa-ipsos>. Acesso em: 24 dez. 2017.

e Furtado, entre outros. O objetivo é assinalar que desde os tempos mais longínquos a aventura do herói obedece a um determinado padrão e que isso vai se repetindo história adentro da humanidade por meio dos contos e mitos, narrados e recontados gerações após gerações por anos a fio. Campbell chama isso de monomito.

A construção do herói Moro pela mídia no período do *impeachment* da (ex)presidente Dilma Rousseff em 2016 cumpre essa jornada, incluindo seus dezessete estágios (CAMPBELL, 2007; VOGLER, 2006). Nas próximas páginas o leitor poderá conhecer cada etapa dessa aventura com paralelismo da história original ao seu correspondente particular na jornada do juiz herói construído pela mídia. Dessa forma, por exemplo, a Ítaca de Ulisses, representaria a Brasília de Sérgio Moro e as analogias vão sendo apresentadas conforme o capítulo vai se desenvolvendo e seja necessário fazê-lo.

O herói – e sua jornada – surge na mitologia por meio de diversos personagens. Um dos contos mais antigos sobre o tema é a epopeia de Gilgamesh, um herói oriundo da Mesopotâmia cuja história acontece cerca de 18 séculos antes de Cristo. A história desse herói guarda similaridades bastante fortes com os relatos do antigo testamento. Em Gênesis 2.7 Deus cria o homem do barro (pó da terra) e na história de Gilgamesh, muito antes da fundação do judaísmo, é Ururu quem o faz a partir do mesmo material. Gilgamesh, até então um ser inofensivo, torna-se alguém perverso que viola mulheres e escraviza os homens com trabalhos extenuantes e então o povo pede aos deuses que o tire desse martírio, o que é ouvido por eles. Os deuses decidem então criar, a partir do barro, um rival para Gilgamesh, um ser metade homem, metade animal: Enkidu (OLIVEIRA, 2014).

> Os deuses, em conselho, decidem pôr termo à tirania de Gilgamesh. Dirigem-se então à divina Ururu, que em tempos remotos fizera do barro o primeiro homem: Tu que criaste o homem, ó Ururu, cria agora um rival para Gilgamesh!. Ururu lavou as mãos e pôs-se a moldar no barro da estepe o valoroso Enkidu. Dotou-o de ingente força, de um vigor tão inabalável quanto o firmamento; são longos os seus cabelos enroldos, de tranças como o trigo (SERRA, 1985, p. 10).

Gilgamesh pode ser considerado herói porque "um herói, qualquer herói, distingue-se do comum das gentes por certas virtudes especiais" (FURTADO, 2004, p. 13), e não poderia ser diferente já que era filho da deusa Ninsun, ou seja, um semideus, alguém diferente dos seres "normais" e, portanto, apto a feitos extraordinários.

A mitologia grega está repleta de histórias que buscam explicar o mundo e sua tensão entre o equilíbrio do cosmos, mostrando deuses, semideuses e humanos dotados de poderes especiais ou com determinados atributos. Para os gregos, a harmonia do cosmos, onde as coisas devem estar onde foram feitas para tal, é o objetivo principal a ser perseguido pelos heróis em suas epopeias. Assim foi com Ulisses, recrutado pelos deuses para restabelecer a paz e o equilíbrio, na guerra de Troia. Mas o herói grego não teve um percurso fácil, especialmente em sua volta para Ítaca, então sua grande odisseia conta com diversas provas e tarefas no intuito de impedir que o mortal possa cumprir seu objetivo. E essa meta deve ser cumprida sem periclitações, sem hesitações, sem o olhar no espelho retrovisor não repetindo a atitude de Orfeu na ânsia de confirmar se sua amada Eurídice o estava seguindo.

Importante destacar que não é de bom alvitre ao herói sublinhar suas derrotas, ou seus percalços. As fases por que o herói passa sempre reservam algum episódio de superação, mesmo que com a ajuda de outrem. É preciso lembrar do sábio conselho do rio-deus Aquelau que ao contar sua história de como perdera um dos chifres a Teseu, advertiu questionando: "Quem se apraz em contar as próprias derrotas?" (BULFINCH, 2001, p. 216).

AS ETAPAS DA JORNADA DO HERÓI

O herói tem o seu périplo e nesse caminho enfrenta muitas dificuldades, lutas e volta então com o dever cumprido, satisfazendo assim aos anseios da sua "pátria".

> Um herói vindo do mundo cotidiano se aventura numa região de prodígios sobrenaturais; ali encontra fabulosas forças e obtêm uma vitória decisiva; o herói retorna de sua misteriosa aventura com o poder de trazer benefícios aos seus semelhantes (CAMPBELL, 2007, p. 36).

A mitologia greco-romana mostra alguns exemplos desse percurso do herói. *Prometeu* roubou o fogo dos deuses e voltou à terra; *Jasão* navegou pelo mar, derrotou um dragão que guardava o *Velocino de Ouro* e retornou com ele para recuperar o trono; *Eneias* foi ao inferno, venceu *Cérbero* (o cão de guarda de três cabeças), encontrou o espírito de seu pai, voltou passando pelo portão de marfim ao seu trabalho no mundo (CAMPBELL, 2007). Todos esses personagens percorreram uma estrada bastante sinuosa a fim de obter o "status de heroísmo" que hoje gozam na cultura e história universais.

As subseções seguintes apresentam cada uma das fases das três etapas principais da jornada: a) a partida, b) a iniciação e c) o retorno. São 17 no total e cada uma delas é um complemento da anterior. Em todas Campbell

(2007) mostra com riqueza de detalhes diversas histórias para comprovar suas teses. Escolhemos as principais delas para mostrar que o herói tem um longo caminho em sua jornada até se consagrar como tal.

A partida

O herói começa sua aventura com a partida e esse momento (CAMPBELL, 2007) acontece primeiramente com um chamado que "pequeno ou grande [...] sempre descerra as cortinas de um mistério de transfiguração [...] que, quando completo, equivale a uma morte seguida de um nascimento" (CAMPBELL, 2007, p. 61). Essa partida traz cinco etapas: o chamado da aventura, a recusa do chamado, o auxílio sobrenatural, a passagem pelo primeiro limiar e o ventre da baleia.

Na primeira etapa é o chamado de aventura que é feito por um arauto, ou agente que anuncia a aventura (CAMPBELL, 2007, p. 62). Campbell conta a história de uma menina princesa que perde sua bola dourada ao brincar próximo a um rio na floresta. Entre uma jogada e outra da bola para cima, a menina deixa o objeto cair e ir parar nas profundezas de um rio. De repente aparece um sapo que diz que pode buscar a bola caso a menina lhe prometesse sua convivência no palácio. Sendo assim ele pega a bola e a entrega para a garotinha, mas ela não cumpre sua promessa, deixando o sapo "a ver navios". Campbell mostra nessa fábula que a aventura do herói pode começar com um erro. Só por causa desse erro então que o sapo (um ser extraordinário) aparece: "Eis um exemplo de um modo pelos quais a aventura pode começar. Um erro [...] revela um mundo insuspeito e o indivíduo entra numa relação com forças que não são plenamente compreendidas" (CAMPBELL, 2007, p. 60).

A aventura começa e o herói já não pode mais recusar sua missão "e então, uma série de indicações de força crescente se tornará visível até que [...] a convocação já não possa ser recusada" (CAMPBELL, 2007, p. 64). Para ilustrar esse aspecto da aventura Campbell conta a saga do jovem *Gautama Sakyamuni* (o futuro *Buda*) cujo pai o criou protegido do conhecimento sobre o envelhecimento, a doença, a morte e a vida monástica, para que o jovem não renunciasse à vida comum (pois quando do seu nascimento haviam profetizado que ele seria o imperador do mundo, ou *Buda*). Nessa história, quando chega o momento da revelação, os deuses vão apresentando ao jovem futuro *Buda* as faces da velhice (sob a forma de um ancião que ele encontra no caminho), da dor (sob o aspecto de um enfermo) e do autoexílio do mundo (um monge). Nos dois primeiros encontros o jovem se entristece e no último ele deseja aquele modelo (vida monástica) como caminho (para desespero de seu pai).

> A aventura então pode começar como um mero erro, no caso da pequena princesa ou "o herói pode estar simplesmente caminhando a esmo, quando algum fenômeno passageiro atrai seu olhar errante e leva o herói para longe dos caminhos comuns do homem" (CAMPBELL, 2007, p. 66).

No entanto essa aventura pode ser recusada. A recusa a essa convocação (CAMPBELL, 2007) é a contraparte negativa dessa caminhada. "Aprisionado pelo tédio, pelo trabalho duro ou pela 'cultura' o sujeito perde o poder da ação afirmativa dotada de significado e se transforma numa vítima a ser salva" (CAMPBELL, 2007, p. 66-67).

Nos mitos e contos de fada mundo afora a recusa é "essencialmente uma recusa a renunciar àquilo que a pessoa considera interesse próprio" (CAMPBELL, 2007, p. 67). Mas nem todos, alerta Campbell, os que hesitam se perdem.

> A introversão voluntária, na realidade é uma das marcas clássicas do gênio criador e pode ser empregada deliberadamente [...]. O resultado, com efeito, pode ser uma desintegração mais ou menos completa da consciência [...]; mas, por outro lado, se a personalidade for capaz de absorver e integrar as novas forças, experimentará um grau quase sobre-humano de autoconsciência e de autocontrole superiores (CAMPBELL, 2007, p. 70-71).

O auxílio sobrenatural é o que vai ao socorro do herói. Assim, "para aqueles que não recusaram o chamado, o primeiro encontro da jornada o herói se dá com uma figura protetora" (CAMPBELL, 2007, p. 74). Essa figura fornece materiais (amuletos e outros) que vão ajudar o herói na sua jornada rumo ao seu objetivo. Na história da *Mulher-Aranha*, contada pelos índios americanos, uma pequena senhora (com aparência de avó) que vive debaixo da terra, ajuda os deuses gêmeos da Guerra dos *Navajos* quando estes cruzam seu caminho. A ajuda consiste em mostrar o caminho para que eles cheguem ao seu pai, o *Sol*. Mas ela os adverte que a estrada é longa e perigosa (repleta de monstros).

Esse papel da anciã e fada-madrinha aparece nos contos de fadas europeus. Já no cristianismo (especialmente o católico romano), esse papel é feito pela Virgem Maria. Essas figuras representam "o poder benigno e protetor do destino" (CAMPBELL, 2007, p. 76).

Nesse percurso, pode acontecer de o herói ter seus anseios pareados com os da sociedade que o enviou. No início da campanha russa, Napoleão afirmou: "Senti-me levado na direção de um objetivo que eu desconhecia. Assim que o alcançasse, assim que eu me tornasse desnecessário, bastaria um átomo para me derrotar" (CAMPBELL, 2007, p. 77). Moisés a todo o momento se dizia inapto a missão de guiar o povo hebreu à terra prometida. Aliás, o herói bíblico percorre o mesmo caminho da jornada proposta por Campbell (2007): sai de um mundo comum e vai em busca da redenção do seu próprio povo. Na Bíblia cristã outros relatos mostram a recusa ao chamado, como o de Jonas em que Deus manda pregar o evangelho em Nínive e, diante de sua passividade, o Senhor envia um grande peixe para comê-lo e assim fazê-lo repensar sua decisão e enfim cumprir a vontade do Altíssimo – o que de fato o faz. Trata-se do herói "que conhece e representa os apelos da supraconsciência – que é, ao longo da criação, mais ou menos inconsciente (CAMPBELL, 2007, p. 256). Assim, nos mitos:

> Do mesmo modo que a consciência do indivíduo permanece num mar de escuridão, ao qual desce em sono profundo e do qual desperta misteriosamente, assim também o universo, nas imagens do mito, é precipitado, e permanece numa intemporalidade na qual volta a dissolver-se. E, assim como a saúde mental e física do indivíduo depende de um fluxo organizado de forças vitais, vindo das sombras do inconsciente para o campo do cotidiano vígil, assim é que, no mito, a continuidade da ordem cósmica só é garantida por um fluxo controlado da força emanada pela fonte. Os deuses são personificações simbólicas das leis que governam esse fluxo. Eles vêm à existência com a madrugada e se dissolvem com o crepúsculo (CAMPBELL, 2007, p. 257).

Após contar com o auxílio sobrenatural (CAMPBELL, 2007), o herói segue sua aventura até chegar ao "guardião do limiar" – porta que leva à área da força ampliada onde existem defensores que guardam o mundo nas quatro direções, marcando os limites da esfera ou horizonte de vida presente do herói, pois além desses limites estão as trevas, o desconhecido e o perigo. Sobre isso, Campbell faz uma bela analogia com o navegador Cristovão Colombo:

> Assim, os marinheiros dos grandes navios de Colombo, ampliando o horizonte na mente medieval – navegando, como pensavam, para o oceano sem limites do ser imortal que cerca o cosmos, tal como uma interminável serpente mitológica que morde a própria cauda, tiveram de ser guiados e controlados como se fosse crianças, porque temiam os leviatãs, as sereias, lagartos e outros monstros das profundezas de que falavam as fábulas (CAMPBELL, 2007, p. 82).

Outro exemplo dessa passagem pelo limiar é a história de Atalanta, uma guerreira filha de Iásio, rei de Aracádia de beleza exótica: "O rosto era muito masculino para uma mulher e, ao mesmo tempo, muito feminino para um homem" (BULFINCH, 2001, p. 172). Quando ela nasceu uma profecia se abateu sobre ela: se ela se cassasse, seria arruinada. Dessa forma, como tinha muitos pretendentes, como condição para aceitar o relacionamento, impunha o desafio de vencê-la numa corrida, só que caso o pretendente fosse derrotado, seria morto. Assim, muitos tentaram correr e acabaram perdendo para a moça e foram mortos. O juiz da competição era Hipômenes, que fascinado pela beleza da guerreira decidiu, a despeito das consequências da derrota, desafiá-la. Para conquistar tal feito o rapaz pede a Vênus que o ajude, e a deusa o atende. Assim, na corrida ele acaba vencendo Atalanta, mas se esquece de agradecer Vênus pela conquista. Irada, a deusa os leva a ofender Cibele (nome latino da deusa grega Réia ou Ops, esposa de Cronos e mãe de Zeus) que irritada também, resolve transformar os dois em bestas feras com as características humanas que os marcava: Atalanta foi transformada em leoa, graças ao seu hábito de caçadora-heroína, que triunfava graças ao sangue de seus amantes; e Hipômenes, transformado em leão. Os dois foram acorrentados ao carro da deusa como castigo.

A passagem pelo limiar não precisa necessariamente ser feita pelo herói de forma abrupta, truculenta, irascível. A sabedoria grega ensina que a virtude está no equilíbrio. Ícaro recebeu de seu pai Dédalos as orientações sobre como voar com segurança: nem muito alto para o sol não atingir as asas e derretê-las e nem muito baixo a fim de que pudesse perecer nos cumes das montanhas. Na história Ícaro ignorou o conselho de seu pai e acabou caindo. Um ensinamento parecido recebeu o herói russo Ilya Muromets (FURTADO, 2004). Nascido na aldeia de Karachorovo, viveu por anos recostado junto ao forno, incapaz de usar as pernas e os braços. Passados 30 anos, seus pais saíram para o campo e deixaram o rapaz sozinho em casa e então chegaram 3 santos peregrinos que pediram água ao jovem. Este disse que não poderia pegar por conta do seu problema físico. Os homens pediram que ele se levantasse e pegasse o copo com a bebida e foi o que ele fez. Quando chegou e entregou a água, disse que se sentia muito forte, tão forte que poderia até mover o mundo. Ouvindo isso os santos pediram água novamente ao rapaz que obedeceu e trouxe novamente. Em seguida, os homens perguntaram: como se sente agora? E Ilya respondeu que sentia que a força era muito grande, mas metade do que era quando trouxe a bebida pela primeira vez. Então os santos disseram: "Que fique assim; pois se te dermos mais, a Mãe Terra não suportará teu peso. E agora Ilya, estás pronto pra seguir teu caminho" (FURTADO, 2004, p. 173).

O conto russo mostra que a moderação dos atos do herói encontra eco no mito de Ícaro, e o recado é claro: a receita do poder está na temperança. Além disso, os santos representam os mestres que auxiliam o herói no seu caminho, dando coragem e força para que ele siga em frente. O herói Moro no período analisado foi retratado pela mídia com essa moderação pois o reforço na imagem de alguém centrado, frio e ao mesmo tempo enérgico foi emulado em tempo integral pelos veículos analisados, inclusive (nos atrevemos a sugerir) fazendo com que esse herói tivesse uma face peessedebista, ou seja, aquele que não tomaria uma posição a um extremo nem a outro (embora na prática o tenha feito, com a perseguição à corrupção centrada em alvos da esquerda em especial). Na realidade, o estilo *blasé* era o que mais interessava à mídia, já que o magistrado herói poderia inclusive debochar[36] de seus prodígios perante a opinião pública.

A passagem do limiar mágico é passaporte para uma esfera de renascimento simbolizada na imagem universal do útero (ventre da baleia). Ao invés de aplacar a força do limiar, este é jogado no desconhecido, dando a impressão de que morreu. O herói Corvo, das histórias dos esquimós do estreito de Bering (CAMPBELL, 2007, p. 91), estava certo dia sentado numa praia quando percebeu uma baleia nadando perto da praia, e então disse ao animal: "Da próxima vez, querida, venha voando, abra a boca e feche os olhos". Em seguida ele vestiu as roupas de corvo, colocou a máscara de corvo, juntou uns gravetos para a fogueira sob o braço e voou para a água. Nesse instante a baleia se

---

[36] O deboche se revela mais nas transgressões da discrição que a um juiz lhe é recomendada (inclusive em lei específica para a magistratura) quando este posa ao lado de políticos e passeia pelo mundo recebendo honrarias. Sabendo disso, ao invés de criticar, a mídia preferiu omitir obsequiosamente, para com isso reforçar o prestígio de seu pupilo.

elevou e fez o que lhe havia sido dito. O herói esquimó então penetrou nas mandíbulas abertas e foi diretamente para o ventre do animal onde lá ficou e olhou em volta.

O estágio seguinte que se apresenta na jornada é o da iniciação que tem seis etapas em seu percurso, a saber: o caminho das provas, o encontro com a deusa, a mulher como tentação, a sintonia com o pai, a apoteose e a bênção última.

A iniciação

Após a passagem pelo limiar, (CAMPBELL, 2007, p. 102), "o herói caminha por uma paisagem onírica povoada por formas curiosamente fluidas e ambíguas, na qual deve sobreviver a uma sucessão de provas". Aqui começa a fase principal da aventura do herói, pois é onde ele enfrenta os desafios mais difíceis, como a história de Psique.

O tema do conto é a procura do amante perdido, Cupido. Quando Psique apelou a Vênus (CAMPBELL, 2007), a deusa tomou-a violentamente pelos cabelos e atirou-lhe a cabeça ao solo; em seguida, misturou diversos ingredientes (trigo, cevada, painço, sementes de papoula, ervilha, lentilha e feijões) numa pilha e pediu à moça que os separasse antes de anoitecer. Para cumprir tal tarefa, Psique contou com a ajuda de um batalhão de formigas. Já que a moça cumprira a tarefa, Vênus pediu que colhesse o Velocino de Ouro de uma certa espécie de carneiro selvagem, de chifres afiados e mordida venenosa, que habitava um vale inacessível numa floresta perigosa. No entanto, um junco verde lhe auxiliou ensinando a colheita dos fios de lã que os carneiros deixavam quando passavam. Cumprida a tarefa e não satisfeita ainda, a deusa exigiu um cântaro de água de uma fonte enregelante, situada no topo de uma altíssima montanha guardada por dragões que nunca dormiam. Nesse momento uma águia se aproximou e realizou a tarefa para Psique. A sequência de provas não havia terminado. Vênus ordenou que

> por fim, que trouxesse, do abismo do mundo inferior, uma caixa cheia de beleza sobrenatural. Mas uma alta torre, lhe disse como descer ao mundo inferior, deu-lhe moedas para [pagar o óbulo a] Caronte e um bolo para Cérbero, e incentivou-a a seguir (CAMPBELL, 2007, p. 103).

Outro exemplo de façanha é a história de Sigurd, que se passa na Escandinávia, especificamente na Islândia entre os anos 1270 e 1275. No conto, o herói (FURTADO, 2006) sai para vingar a morte do pai e parentes mortos pelos guerreiros do clã de Hunding. Só após essa tarefa é que ele segue para sua primeira grande façanha: conquistar o ouro fabuloso, nesse momento guardado por um dragão. A história segue assim mostrando como isso acontece:

> o grande tesouro (...) faz dele o mais promissor dos heróis, admirado e invejado pelos homens e cobiçado como consorte pelas mulheres. E o sangue do dragão lhe confere poderes especiais: sua pele se torna invulnerável, salvo em um único ponto, e ele passa a entender o que os pássaros dizem quando cantam (...). [mais adiante na história]. Sigurd atravessa uma barreira de fogo para ajudar o rei Gunnar a vencer a resistência de Brynhild, que então aceita o rei como esposo. Sigurd casa-se com a irmã do rei e acaba traído e morto por um parente dela (FURTADO, 2006, p. 150).

A relação do herói com a figura feminina vai se cristalizar no próximo estágio da jornada proposta por Campbell (2007): o encontro com a deusa. Nessa fase, a última aventura, após o herói ter vencido os ogros e ultrapassado todas as barreiras, acontece o "casamento místico *(hierógamos)* da alma-herói triunfante com a Rainha-Deusa do Mundo" (CAMPBELL, 2007, p. 111). A história de Actéon e Diana ilustra esse encontro.

O jovem Acteón quis ver a poderosa deusa Diana ao meio-dia. O homem havia partido sozinho nessa aventura, já que deixara seus companheiros junto com seus cães ferozes descansando, após uma manhã de jogos bastante cansativos. Vagava ele pela floresta quando descobriu um vale e nele se embrenhou, encontrando uma gruta, com uma fonte suave e ondulante. Esse era o refúgio de Diana, que se encontrava ali banhando-se com suas ninfas completamente desnudas. Quando as ninfas perceberam a chegada do rapaz todas rapidamente se aglomeraram em torno da deusa a fim de ocultá-la aos seus olhos profanos. Ela buscou seu arco, mas este se achava longe, fora de seu alcance, de modo que ela tomou do que estava à mão, a água e a atirou no rosto de Acteón. Nesse instante, surgiram chifres em sua cabeça, seu pescoço se alongou e cresceu e as pontas das orelhas se afinaram. Além disso, os braços tornaram-se pernas; as mãos e pés, patas. O jovem saiu correndo e encontrando seus cães estes logo o tragaram. Diana, ciente da morte do rapaz, estava saciada (CAMPBELL, 2007).

O encontro com a deusa é o teste final do talento de que o herói é dotado para obter a bênção do amor. Na nossa analogia com o herói Moro pela mídia, esse encontro se dá com a própria mídia, entendida como deusa, como aquela que tal qual Diana, pode transformar o herói que descobre sua nudez em uma criatura terrível, que seria depois devorado por seus próprios cães. Com efeito Moro encontra a deusa bem antes, quando considera que a imprensa deve ser cúmplice no combate à corrupção, já que para o magistrado (MORO, 2004, p. 57) "um Judiciário independente, tanto de pressões externas como internas, é condição necessária para suportar ações judiciais da espécie. Entretanto, a opinião pública, como ilustra o exemplo italiano [da operação *Mani Pulite*[37]], é também essencial para o êxito da ação judicial". Além disso o herói sabia do poder sedutor da deusa mídia para que seu feito pudesse lograr êxito:

> A publicidade conferida às investigações teve o efeito salutar de alertar os investigados em potencial sobre o aumento da massa de informações nas mãos dos magistrados, favorecendo novas confissões e colaborações. Mais importante: garantiu o apoio da opinião pública às ações judiciais, impedindo que as figuras públicas investigadas obstruíssem o trabalho dos magistrados, o que, como visto, foi de fato tentado (MORO, 2004, p. 59).

A próxima fase da iniciação é a mulher como tentação onde (CAMPBELL, 2007, p. 121) "o casamento místico com a rainha-deusa do mundo representa o domínio total da vida por parte do herói".

> O inocente deleite de Édipo, em sua primeira posse da rainha, torna-se agonia de espírito quando ele descobre quem a mulher é. Tal como Hamlet, ele se encontra acossado pela imagem moral do pai. E, tal como aquele, deixa os agradáveis contornos do mundo para buscar, nas trevas, um reino mais elevado que o da mãe luxuriosa e incorrigível, afetada pelo incesto e pelo adultério. Aquele que busca a vida além da vida deve labutar por ultrapassar a mãe, superar as tentações do seu chamado e lançar-se ao éter imaculado do que se acha além (...).

---

[37] A *Mani Pulite* (Mãos Limpas) foi uma operação de combate à corrupção na Itália ocorrida nos anos 1990 que inspirou Moro (segundo ele próprio) a aplicá-la no Brasil.

> O herói não pode mais permanecer inocente diante da deusa da carne; pois ela se tornou a rainha do pecado (CAMPBELL, 2007, p. 122).

A tentação que Moro (pela mídia) acabou caindo não foi outra senão o deleite no desfile em homenagens aos seus feitos inclusive posando para fotos com figuras polêmicas da política brasileira (mais adiante detalhamos essa passagem). A mulher como tentação aqui, mimetiza o apelo da "deusa mídia" aos seus auspícios: capas de revista, coquetéis, títulos *honoris causa*, enfim, uma enxurrada de motivos de gozo que o fizeram embarcar nessa fase que Campbell propõe, com maestria. No entanto, tal qual "a tentação de Santo Antônio" pode o juiz magistrado resistir, como relata Campbell (2007, p. 125) neste exemplo:

> Santo Antonio, quando praticava sua vida de austeridade na Tebaida egípcia, viu-se perturbado por voluptuosas alucinações perpetradas por demônios do sexo feminino, que se viram atraídos pela sua magnética solicitude. Aparições dessa ordem, que exibem quadris irresistíveis e seios palpitantes à espera do toque, são conhecidas em todos os eremitérios da história: "Ah! belo eremita!...Se puseres teu dedo sobre meu ombro, terás a sensação de um rastilho de fogo nas veias. A posse da menor parte do meu corpo te tornará pleno de um gozo que em muito supera a conquista de um império. Avança teus lábios...".

O juiz herói da mídia não só "caiu de boca" na tentação que logo se apresentou a ele como a defendeu com unhas e dentes quando confrontado sobre tal comportamento. Com efeito, a mulher como tentação é demasiado rotunda para o nosso herói.

A fase seguinte é a sintonia com o pai e nela o herói deve depositar sua esperança e garantia na figura masculina. A sintonia é abandonar o monstro autogerado – o dragão que se considera Deus (o superego) e o que se considera Pecado (o *id* reprimido). No entanto, essa disposição requer o abandono do apego ao próprio ego e aí que está a dificuldade. Há que se ter fé na misericórdia do pai.

Uma das histórias que ilustram essa fase é a dos guerreiros gêmeos dos Navajos. Um dos trechos mostra que a prece acalmou aqueles jovens:

> Tendo deixado a Mulher-Aranha com seu conselho e seus talismãs protetores, terminaram sua perigosa jornada pelas rochas que esmagam, os juncos que retalham e os cactos que fazem em pedaços, assim como pelas areias escaldantes, chegaram finalmente à caso do Sol, seu pai. A porta estava guardada por dois ursos. Estes se levantaram e rosnaram; mas as palavras que a Mulher-Aranha havia ensinado aos garotos levaram-nos a voltar a dormir. Depois dos ursos, os garotos se viram ameaçados por um par de serpentes; depois, por ventos e tempestade: os guardiões do último limiar. Todos se acalmaram prontamente, todavia, com palavras de oração (CAMPBELL, 2007, p. 128-129).

A história de Faetonte, que relataremos pormenorizadamente mais adiante, mostra também a necessidade de um grande cuidado com o pai, que "só admite em sua casa os que se tiverem submetido integralmente aos testes" (CAMPBELL, 2007, p. 130). Assim a busca por reconhecimento do herói Moro pela mídia é a tentativa de mostrar ao público que este passou nos testes ao prender políticos poderosos que até então não tinham conhecido o castigo e, principalmente, os mantidos lá, a despeito de críticas de parte dos envolvidos no processo. Ou seja, Moro é legitimado por esses feitos e pode enfim "ficar tranquilo na casa do pai" já que passou pelas provas sacralizando assim a sintonia paterna.

A penúltima fase da iniciação é a apoteose. Aqui acontece a condição divina que o herói humano atinge quando ultrapassa os últimos terrores da ignorância, tal qual a lenda de Buda.

Um dos mais poderosos e amados Bodisatvas do budismo Mahaiana do Tibete, da China e do Japão é o Portador do Lótus, Avalokiteshvara, "o Senhor que Olha para Baixo com Piedade", assim chamado porque olha com compaixão para todas as criaturas sensíveis que sofrem os males da existência. Para ele é dirigida a oração milhões de vezes repetida das rodas de oração e dos gongos dos templos do Tibete: *Om mani padme hum*, "a joia está no lótus". Para ele talvez sejam dirigidas mais orações por minuto do que a qualquer divindade conhecida pelo homem; pois quando, em sua última vida na Terra como ser humano, ele abalou por si mesmo o último limiar (momento no qual a ele se abriu a intemporalidade do vazio, que se acha além dos enigmas-miragens do cosmo nomeado e limitado) e deu uma pausa, fez o voto de que, antes de penetrar no vazio, levaria todas as criaturas, sem exceção, à iluminação; e desde então tem permeado toda a textura da existência com a graça divina de sua presença auxiliadora, de modo que a mais insignificante oração que lhe for dirigida, em todo o vasto império do Buda, é graciosamente ouvida. Ele se revela, sob forma humana, com dois braços, e, sob forma supra-humanas, com quatro, seis, doze ou mil, trazendo numa de suas mãos esquerdas, o lótus do mundo (CAMPBELL, 2007).

A tal sabedoria suprema ocorre após "as ideias parentais terem sido atualizadas e o herói se torna finalmente livre para sedimentar a mudança de seu nível de consciência" (MARTINEZ, 2008, p. 56). Nesse sentido, a clarividência emerge quando se atenta para a conexão do trecho das Escrituras Sagradas (CAMPBELL, 2007, p. 147): "E criou Deus o homem à sua imagem, à imagem de Deus o criou; macho e fêmea os criou". Existe a questão da imagem de Deus, mas a resposta está clara: "Quando o Santíssimo, Bendito seja Ele, criou o primeiro homem, fê-lo andrógino". Na exegese que Campbell (2007, p. 147) faz do trecho, assevera: "essa remoção do feminino sob outra forma simboliza o início da queda da perfeição na dualidade". E continua o autor (2007, p. 147):

> e foi seguida naturalmente da descoberta da dualidade entre o bem e o mal, do exílio do jardim onde Deus caminha na terra e, daí por diante, da construção do muro do Paraíso, constituído pela "coincidência dos opostos", por meio da qual o Homem (agora homem e mulher) é privado, não só da visão, mas até mesmo da lembrança da imagem de Deus.

No caso do nosso herói midiático a analogia que fazemos é a da sua heterodoxa interpretação das leis e a consequente subscrição da mídia a esse respeito. Por exemplo, na condenação de Lula no caso do Triplex do Guarujá, apesar de na própria sentença Moro não assinalar textualmente que o imóvel era do ex-presidente, por conta das diversas evidências, no conjunto da obra, acaba lhe impondo o castigo. Teria interpretado além do texto algo que o mesmo não dizia? Até onde fora sua clarividência jurídica? Sua apoteose parece estar aí: sua credibilidade como herói é tamanha que inventa sua própria interpretação das leis e é prontamente seguido pela mídia que inclusive o enaltece pelo feito propagando-os *ipsis literis* à opinião pública – sem filtro. A mídia inclusive "comprava tudo" (THE INTERCEPT BRASIL, 2018) o que a Lava Jato (Moro) divulgava segundo a assessora de imprensa da Operação,

Christianne Machiavelli que ainda assevera: "era tudo divulgado do jeito como era citado pelos órgãos da operação" (THE INTERCEPT BRASIL, 2018).
A etapa final desta fase de iniciação chama-se benção última. Ou seja, "ultrapassando os limites das imagens terrenas, o herói se confronta com o desafio final de transcender a simbologia dos ícones" (MARTINEZ, 2008, p. 56). A facilidade com que a aventura é realizada aqui mostra que o herói é um rei nato, um ser superior.

O conto do príncipe da ilha solitário mostra isso. Esse homem (CAMPBELL, 2007) passou seis noites e dias no divã de ouro com a Rainha do Tubber Tintye, que ali estava, estando o divã montado sobre rodas de ouro que giravam sem parar, noite e dia. Na sétima manhã ele disse: "Está na hora de eu deixar este lugar", e desceu e bebeu três garrafas com água do poço flamejante. No quarto de ouro havia uma mesa de ouro, e sobre a mesa, uma perna de carneiro e um pedaço e pão; "e mesmo que todos os homens de Erin comessem durante um ano à mesa, o carneiro e o pão seriam os mesmos, tanto antes como depois de eles comerem" (CAMPBELL, 2007, p. 162-163)

Ou seja, o herói aqui recebe o dom de fazer o milagre da multiplicação dos pães, não deixando nunca faltar para os seus queridos o básico do dia a dia. Nesse sentido, no nosso caso, podemos pensar que os jornais multiplicaram o protagonismo de Moro seis, sete dias por semana, fazendo nunca faltar notícia (e quando estas pareciam faltar, o herói tratava de ajudar, trazendo outras "boas- novas[38]").

---

[38] Em entrevista ao The Intercept Brasil (2018), a ex-assessora de imprensa de Moro assegurou que a ordem era nunca faltar notícia para a imprensa, o que incluía a divulgação em doses de informação diária. Como ela mesmo afirmou (e que mostramos anteriormente), a imprensa tampouco investigava o que era para ela enviado, tomando como verdade a verdade do Ministério Público Federal, da Operação Lava Jato, por consequência e, acima de tudo, por ordem de Moro (que considerava a prática de colocar a mídia a par de tudo o

O retorno

A etapa do retorno do herói possui seis fases, a saber: a recusa do retorno, a fuga mágica, o resgate com auxílio externo, a passagem pelo limiar do retorno, o Senhor dos dois mundos e a liberdade para viver. Assim como na seção anterior, vamos mostrar brevemente cada uma dessas fases por vezes fazendo uma analogia com o herói estudado.

Esta etapa se inicia com a chamada recusa do retorno. Campbell conta que após o herói findar sua busca, por meio da penetração da fonte, ele deve retornar com o troféu transmutador da vida.

> Mas essa responsabilidade tem sido objeto de frequente recusa. Mesmo o Buda, após seu triunfo, duvidou da possibilidade de comunicar a mensagem de sua realização. Além disso, conta-se que houve santos que faleceram quando estavam no êxtase celeste. São igualmente numerosos os heróis que, segundo contam as fábulas, fixaram residência eterna na bendita ilha da sempre jovem Deusa do Ser Imortal (CAMPBELL, 2007, p. 196).

Um aporte que podemos fazer com nosso herói nessa fase é quando ele, tendo terminado seu trabalho (prender o ex-presidente Lula) se recusa a voltar a ordinaridade da sua vida na 13ª Vara Criminal, o que fica claro no episódio

---

que estava acontecendo como condição fundamental de sucesso da Operação, conforme artigo sobre a *Mani Pulite* em 2004). Moreira Leite, analisando o uso da imprensa como aliada no combate à corrupção, destaca: "Moro refere-se aos jornais como sinônimo da 'opinião pública', ignorando a distinção necessária entre 'opinião pública' e 'opinião publicada', que permite lembrar que os meios de comunicação são empresas privadas, respondem a acionistas, procuram sustentação no mercado publicitário, desenvolvem interesses comerciais e preferências políticas – e é dessa forma que publicam determinadas notícias e eliminam outras, apresentam os fatos sob o ângulo x e ignoram o ponto de vista y e assim por diante" (LEITTE, 2015, p. 132-133).

da decretação de soltura do ex-presidente pelo desembargador Rogério Favretto[39]. Na ocasião, Moro interrompe suas férias para manter o ex-presidente preso, ou seja, ele se recusa a voltar de sua missão! Moro agiu como o rei Muchukunda que (CAMPBELL, 2007, p. 197) "em lugar de retornar, decidiu viver em retiro um degrau ainda mais longe do mundo. E quem diria que sua decisão não teve nenhuma razão de ser?", e quem diria (para Moro) que ele não estava correto em não voltar, posto que era preciso ter efetivado o preceito daquela que foi definida como sua República: [onde] "aqui se cumpre a lei"?.

Após a recusa do retorno, o herói empreende a fuga mágica. Essa fuga acontece quando "após o herói obter a benção da deusa ou do deus e se for explicitamente encarregado de retornar ao mundo com algum elixir destinado à restauração da sociedade, o estágio final de sua aventura será apoiado por todos os poderes do seu patrono sobrenatural" (CAMPBELL, 2007, p. 198).

> No entanto, se o troféu tiver sido obtido com a oposição do seu guardião, ou se o desejo do herói no sentido de retornar para o mundo não tiver agradado aos deuses ou demônios, o último estágio será uma viva, e com frequência, cômica, perseguição. Essa fuga pode ser complicada por prodígios de obstrução e evasão mágicas (CAMPBELL, 2007, p. 198).

---

[39] No domingo 08 de julho de 2018 o desembargador Rogério Favreto, do TRF4 que estava de plantão naquele dia decidiu soltar o ex-presidente Lula após pedido da defesa do réu. Após ampla divulgação na mídia, seguiu-se um imbróglio sobre o cumprimento dessa decisão. De férias na Europa, Moro interviu pedindo para reconsiderar a decisão da soltura interferindo claramente numa ordem de alguém hierarquicamente superior a ele. Após essa intervenção (e diversas idas e vindas nas decisões durante o dia), o presidente do TRF4 Carlos Eduardo Thompson Flores, revogou a ordem de Favreto não concedendo a liberdade ao ex-presidente. Parafraseando o personagem K. de Kafka em "O processo", "a definição do domingo como dia de inquérito [*habeas corpus*] havia sido tomada para não perturbar K. na sua atividade profissional [no caso de Moro, no seu descanso laboral]" (KAFKA, 2003, p. 35).

"Uma variedade popular da fuga mágica é aquela na qual são deixados objetos no caminho para falarem pelo fugitivo e retardarem a perseguição" (CAMPBELL, 2007, p. 200). Sobre isso, Joseph Campbell relata a história que os Maoris da Nova Zelândia contam sobre um pescador que um dia, ao chegar em casa, descobriu que sua mulher havia engolido os dois filhos. Ela estava ali no chão, gemendo e ele perguntou o que se passava com ela, o que ela respondeu estar doente. Então ele quis saber onde os garotos estavam e ela contou que tinham partido, no entanto o homem sabia que sua esposa estava mentindo. Assim, por meio de sua magia, ele fez com que ela regurgitasse os meninos. Os dois saíram vivos e inteiros. A partir daí o homem começou a ficar com medo da esposa e fugiu o mais rápido possível levando seus dois filhos.

No caso do nosso herói Moro esse estágio não pode ser em parte preenchido. Podemos inferir que no retorno e sua fuga mágica, os obstáculos que lhe sobrevieram foram os oriundos daqueles que já o criticavam, os quais ele já estava vacinado. A mídia ao mostrar por exemplo que o PT (Partido dos Trabalhadores) representara uma queixa contra o herói na ONU (Organização das Nações Unidas) logo relativiza o episódio destacando que na verdade tratar-se-ia de um comitê sem força de deliberação[40]. Ou seja, a mídia agiria como apoio do herói nessa etapa da jornada ajudando-o a "fugir".

---

[40] No início de 2018 o PT protocolou uma denúncia na ONU acusando o juiz Moro de perseguição política utilizando na verdade a Justiça para tal (o *lawfare*). Jornais brasileiros relativizaram o fato destacando que caso houvesse uma condenação esta não teria efeito algum por tratar-se em primeiro lugar de uma recomendação da entidade e em segundo lugar por tal decisão ter sido promulgada por um comitê específico e não por todos os seus membros, o que deslegitimaria a assertiva: "a ONU condenou Moro por perseguição a Lula".

A fase seguinte mostra que "o herói pode ser resgatado de sua aventura sobrenatural por meio da assistência externa" (CAMPBELL, 2007, p. 206). Ou seja, o mundo precisa encontrá-lo para então resgatá-lo.

> Se o herói – tal como Muchukunda – não estiver disposto a retornar, aquele que o perturbar sofrerá um pavoroso choque; mas por outro lado, se aquele que foi chamado apenas estiver sendo retardado – aprisionado pela beatitude do estado de existência perfeita (que se assemelha à morte) –, é efetuado um evidente resgate, e o aventureiro retorna (CAMPBELL, 2007, p. 206).

Moro é resgatado pela mídia o tempo todo na medida em que quando é atacado, sempre alguma matéria relativiza o acontecimento. Significa que a imprensa que o constituiu como herói vai ao seu encontro defende-lo. Reportagens como "o que é verdade ou mito sobre Moro" evidencia esse resgate, posto que, sob o olhar beneplácito da mídia coloca como verdade sua versão sobre os fatos e mito aquilo que ainda está escondido e cujo desvelamento ela se recusa a proceder.

No seu caminho de volta então, o herói enfrenta a próxima fase que é a passagem pelo limiar do retorno. "Seja resgatado com ajuda externa (...) ou carinhosamente conduzido pelas divindades orientadoras, o herói tem de penetrar outra vez, trazendo a bênção obtida" (CAMPBELL, 2007, p. 213). A partir daí ele tem de enfrentar a sociedade com seu elixir e receber o choque do retorno enfrentando toda a incompreensão das pessoas as quais depositaram sua confiança nele além do descrédito de alguns formadores de opinião ante sua aceitação para ser ministro no governo do presidente Jair Bolsonaro a partir de 2019.

É preciso compreender que as aventuras do herói se passam longe das terras conhecidas, em regiões de trevas. Seu retorno é descrito como a volta do além. Nesse sentido nosso herói aventura-se em terras distantes para a maioria dos seus fãs. O jogo em que ele participa não é conhecido da maioria dos leitores do jornal que o tem como herói e as trevas podem ser para eles a área política e jurídica, região desconhecida para quem torce pelos prodígios do herói juiz forjado pela mídia. Prender e manter preso diversos figurões da política e do empresariado que durante muitos anos jamais se pensou ser possível, é uma tarefa hercúlea para a maioria das pessoas imaginarem a possibilidade de lograr êxito. Mas o herói o fez e a caminhada de retorno desse ser é acompanhada e tracejada de perto pela mídia mostrando os obstáculos que o herói vai enfrentando.

Na penúltima fase da etapa do retorno, temos o Senhor de dois mundos onde (MARTINEZ, 2008, p. 56) "a mentalidade ampliada do herói leva-o a ter papel benéfico entre seus contemporâneos". Na passagem da Transfiguração de Cristo temos todo o mito num só momento:

> Jesus, o guia, o caminho, a visão e o companheiro do retorno. Os discípulos são os iniciados, ainda não dominam o mistério, mas são introduzidos na experiência total do paradoxo dos dois mundos em um. Pedro foi tomado de tal temor, que balbuciou. A carne dissolvera-se diante dos seus olhos para revelar a Palavra. Eles caíram sobre seu rosto e, quando se ergueram, a porta tornara a se fechar (CAMPBELL, 2007, p. 226).

Quando o herói Moro recebe apoio de seus pares e suas decisões são ratificadas em instâncias superiores (vale dizer que ele raramente é confrontado nesses espaços[41]) a mídia

---

[41] Somente 3,9% das ações de Moro foram revisadas pelos tribunais (O Estado de S.Paulo, 2016).

publica a história mostrando que, além da legitimação dos leigos o herói magistrado tem a dos sábios. Ele é o Senhor dos dois mundos: o laico e o "clérigo". O primeiro porque é o que agrega a simpatia de parte da população ávida por "justiçamento" (quiçá vingança) e o segundo porque, por contar com apoio irrestrito da grande mídia, consegue capital social suficiente para "trucar" submeter as instâncias superiores aos seus auspícios.

E, por fim, na última fase do retorno acontece a liberdade para viver, onde o herói consegue enfim "descansar" já que (MARTINEZ, 2008, p. 56) "renascido, o herói pode agora desfrutar de uma nova biografia pessoal e abrir-se para novas experiências". Campbell (2007, p. 232) define assim esse derradeiro passo do herói em sua jornada: "Poderoso pelo seu saber, calmo e liberto na ação, convencido de que de suas mãos fluirá a graça de Viracocha, o herói configura-se como veículo consciente da terrível e maravilhosa Lei, seja o seu trabalho o de açougueiro, jóquei ou rei".

O paralelo que fazemos com essa fase é quando o magistrado aceita o convite para ser ministro da Justiça do governo do presidente recém-eleito em 2018, Jair Bolsonaro. Neste ato Moro sai da cena jurídica e entra para a política, deixando para trás 22 anos de magistratura. E que "tal liberdade" que Moro enfim conquista no seu retorno? Talvez seja a de não ter que justificar mais sua (im)parcialidade em cada ato como executivo de um governo que venceu as eleições com discurso contra o réu que estava sob os cuidados do ex-juiz e agora (2019) ministro[42]. Melhor retorno Moro não poderia trilhar escolher para vivenciar!

---

[42] A plataforma de campanha do então candidato a presidente Jair Bolsonaro foi o combate ao PT e o consequente apoio ao juiz Moro já que este foi o

AQUELE QUE JULGA É (TAMBÉM) AQUELE QUE SALVA

O juiz numa sociedade democrática deve assumir uma posição neutra em relação a fatos e acontecimentos corriqueiros. Ele não deve aparecer, nem dar entrevistas, nem falar fora dos autos (aliás, ele fala é através dos autos[43]). É assim nas democracias mais avançadas do mundo como na Alemanha, Estados Unidos e Grã-Bretanha. No Brasil de 2016 o juiz não só fala antes, durante e depois dos autos como também se assume como o próprio auto, sendo ele mesmo peça salvífica, assumindo assim a emulação que a imprensa fez dele o herói que, a princípio hesitou em ser, mas que a vaidade humana o impeliu para tal. Desse modo, a fala emerge dos autos para as páginas de jornais, pois para o juiz julgador/salvador só pode se fazer justiça quando esta for referendada pelo povo (determinado povo).

Aristóteles já ensinava que o magistrado deve ser "virtuoso e prudente", posto que "a prudência é a única virtude natural naquele que manda" e ainda compara:

---

responsável pela condenação do ex-presidente Lula. Durante a campanha, o juiz divulgou trechos da delação de Antonio Palocci contra Lula, o que municiou a campanha contra o candidato à presidência pelo PT, Fernando Haddad.

[43] Segundo a Lei Orgânica da Magistratura Nacional (Lei Complementar 35/79), (art. 36, III): "é vedado ao magistrado manifestar, por qualquer meio de comunicação, opinião sobre processo pendente de julgamento, seu ou de outrem, ou juízo depreciativo sobre despachos, votos ou sentenças, de órgãos judiciais, ressalvada a crítica nos autos e em obras técnicas ou no exercício do magistério". Já o Código de Ética da Magistratura Nacional assinala: (art. 13) "O magistrado deve evitar comportamentos que impliquem a busca injustificada e desmesurada por reconhecimento social, mormente a autopromoção em publicação de qualquer natureza". E ainda: (art. 16) "O magistrado deve comportar-se na vida privada de modo a dignificar a função, cônscio de que o exercício da atividade jurisdicional impõe restrições e exigências pessoais distintas das acometidas aos cidadãos em geral".

> A virtude do súdito não é a prudência, e sim um julgamento são e reto. É assim que aquele que fabrica flautas obedece, sendo o que manda o músico que delas se serve. Vê-se, desta discussão, se a virtude do bom cidadão é diferente da do homem de bem, como ela é a mesma ou em que difere (ARISTÓTELES, 2006, p. 79).

Numa sociedade brasileira cujo contexto em 2016 era o de rivalidades à flor da pele, o surgimento do juiz herói caracterizaria uma busca quase que irresponsável por alguém, um homem de bem (nos termos de Aristóteles), que viesse "para julgar os vivos e os mortos". Mas quem seriam esses tais? E com que critérios e instrumentos seria esse julgamento? Maffesoli (2011, p. 58) lembra que "o excesso de leis é o signo de uma sociedade doente" então o que se avizinhava não poderia ser algo benfazejo ao todo social. No entanto, e por causa disso, a figura policialesca e messiânica do magistrado não deixaria de flertar com os perigos que a situação previa, afinal naquele ambiente caracterizado pela polarização exacerbada entre coxinhas x mortadelas ou direita x esquerda:

> Os caçadores de absoluto, que querem fazer da sociedade um conjunto perfeito, para os quais nenhuma zona de sombra poderia ser tolerada, que legiferam e planejam a sociedade nos menores detalhes, são os mais seguros instigadores das revoluções. Ao tornarem a vida cotidiana asséptica, preparam, com certeza, o terreno da enfervescência social (MAFFESOLI, 2011, p. 58).

O desejo ardente de higiene social, cujo protagonista só poderia ser o juiz Moro, fez com que grande parte da sociedade e imprensa implorasse por tal assepsia (especialmente às esquerdas). Dessa forma, o herói julga para limpar, e salva para alvejar o terreno infestado de corruptos e pessoas que não são as "de bem[44]", ou seja aquelas de orientação conservadora, ciosas dos princípios judaico-cristãos, que não causam confusão (entendida aqui também como aquelas que não se opõem ao *status quo*, que não lutam à toa, mas sim por uma "causa nobre").

Nessa toada, Moro (pela mídia) age como um Faetonte (CAMPBELL, 2007) que busca a qualquer custo impressionar seu pai, Febo, pedindo provas que ainda não poderia suportar. Na sua busca pela carruagem de seu pai e do direito de conduzir os cavalos alados por um dia apenas (CAMPBELL, 2007, p. 130). Isso fica claro quando essa carruagem é representada pelo pedido de condução coercitiva de Lula, cuja ação custou uma reprimenda do próprio STF. No episódio da divulgação dos áudios Moro também agiu como o jovem do conto grego, bastante criticada pela mídia e setores do próprio judiciário. Na lenda, ele conduz mal a carruagem que provoca então uma confusão com fogo nos céus e terra e morte de milhares de pessoas e a lição dessa história é que (CAMPBELL, 2007, p. 132) "a indulgência paternal ilustra a antiga ideia de que, quando as responsabilidades da vida são assumidas

---

[44] "Gente de bem" não são os que lutam por moradias e distribuição de terra mais justa, como o MST (Movimento dos Sem-Terra) ou MTST (Movimento dos Sem Teto); já os que foram às ruas pedindo o *impeachment* da ex-presidente Dilma são "de bem". A história mostra que existe também os que se enganam sobre essa gente. "Juca Silva, por entender que os farrapos são 'gente de bem', alista-se nas tropas do capitão Álvaro, que abandona, por força da experiência, ao descobrir que se trata de saqueadores e de bandoleiros" (SILVA, 2015, p. 108). A expressão é vocalizada por um dos líderes mais nefastos de toda a história. Adolph Hitler, em "Minha Luta", a utiliza para reforçar a supremacia de sua raça perante as demais, além de colocar o socialismo como inimigo a ser combatido: "Sobre o cérebro e a alma da *gente de bem* [grifo nosso], vai descendo, aos poucos, como um pesadelo, o temor do judaísmo, a arma dos marxistas" (HITLER, 1983, p. 209). Obs: a editora fez a tradução direta integral do alemão.

pela pessoa iniciada de maneira imprópria, sobrevém o caos". Outro "momento Faetonte" acontece em 2018 quando o herói juiz, ao ser questionado sobre a moralidade em receber auxílio-moradia mesmo tendo imóvel na cidade onde reside, responde que o benefício compensaria a fala de reajuste em seu salário. Foi uma prova que ainda não conseguiria suportar? Em 2016 achou que sim, e inclusive autorizou a divulgação da conversa entre Dilma e Lula, que foi crucial para a derrocada da (ex-)presidente e em 2018 ainda continuava a pensar como o incauto e juvenil Faetonte.

Nos estágios que o herói Moro vai galgar vão aparecendo os limiares a ultrapassar, os monstros a vencer, o elixir para trazer e principalmente o cumprimento da jornada que deve ser feito para – também – contentar e satisfazer àqueles a quem este está a serviço. Iniciamos então o percurso do herói (sua jornada) relatando uma das mais antigas histórias da mitologia universal.

Abaixo, segue um quadro com um paralelismo entre o herói de Campbell e os comentários de Vogler. Já assinalamos todas essas etapas anteriormente, mas aqui queremos destacar tal paralelo.

Quadro 01 - Adaptação da Jornada do Herói e as histórias do cinema

Estágios	A jornada do herói – Campbell	Jornada do Moro (pela mídia)
	O herói	Moro
Estágio I	Leva uma vida normal	Juiz em Curitiba
Estágio II	Até encontrar o mestre	Rosa Weber
Estágio III	Que o levará para uma jornada	Auxiliar de Rosa Weber em Brasília no caso Banestado
Estágio IV	O herói falha	Não se resolve o caso Banestado
Estágio V	Mas o mestre está lá para ajudá-lo a descobrir quem é	Rosa Weber (por meio de sua acolhida ao herói como assistente no caso Banestado) o credencia para a Lava Jato
Estágio VI	E destruir o inimigo	Os políticos (em especial o PT) com destaque para Lula
Estágio VII	Com quem ele tem uma ligação anterior	O doleiro da operação Lava Jato (Alberto Youseff) era do Banestado (já havia sido identificado em sua atividade no caso Banestado46)
Estágio VIII	O mestre deve morrer	Rosa Weber não morre fisicamente, mas sai de cena, morre para que haja a ascensão de seu discípulo
Estágio IX	Para o triunfo do herói ser completo	A divulgação do áudio do ex-presidente Lula e a ex-presidente Dilma e a posterior prisão de Lula configuram o triunfo do juiz federal

Fonte: (MARTINO, 2017, p. 241) Adaptado.[45]

---

[45] O juiz Moro atuou no caso Banestado (escândalo financeiro de remessas ilegais de divisas – cerca de 30 bilhões – por meio de uma agência do Banco do Estado do Paraná no início dos anos 1990) onde "condenou 97 pessoas, entre elas Alberto Youssef" (NETTO, 2016, p. 30).

No estágio I o herói sai do seu mundo ordinário e se aventura em mundos desconhecidos para algo extraordinário. Moro leva uma vida normal na 2ª vara criminal federal em Curitiba quando é chamado por Rosa Weber (estágio II) para a auxiliar em Brasília, no caso Banestado (estágio III). Em seguida, ele acaba falhando em sua missão (estágio IV) pois deixa o caso Banestado sem solução, mas não desanima pois recebe do seu mestre (Rosa Weber) a ajuda que precisa (estagio V) para retomar o caminho: a Operação Lava Jato. Aí então ele parte para a luta contra seus inimigos (estágio VI) os políticos corruptos (do PT em especial), e acaba encontrando o mesmo personagem do caso Banestado, o doleiro Alberto Youssef (estágio VII). Com a repercussão da Operação Lava Jato, Moro fica sozinho como protagonista da história (estágio VIII) e o ápice do caminho acontece quando prende o ex-presidente Lula (estágio IX).

O herói em Campbell e sua jornada é o padrão dos contos e lendas dos heróis de diversas culturas mundo afora. No Brasil, em especial, os heróis se resumem ao esporte e raras vezes à política (quiçá Getúlio Vargas fora em algum momento elevado a essa condição, mas não vamos nos deter nesse desdobramento aqui neste estudo). Seria o país então refém do mito do Sebastianismo, o rei português Dom Sebastião que nunca voltou da batalha contra os mouros?

O Brasil é um país carente de heróis. Em sua história recente alguns personagens se destacaram como salvadores da pátria e isso inclui generais, imperadores e mais recentemente ainda, políticos e esportistas. O mito do sebastianismo estaria no DNA dessa vocação do país em buscar sempre a figura de alguém que salvasse a cidade, mesmo se fosse uma Geni[46].

---

[46] Referência à Geni, personagem da Opera do Malandro, de Chico Buarque de Hollanda. Na história a moça é uma espécie de prostituta e que é hostilizada

O sebastianismo é um fenômeno secular, que muitas vezes é visto como uma seita ou elemento de crendice popular. Teve sua origem na segunda metade do século XVI, surgindo da crença na volta de Dom Sebastião, rei de Portugal, que desapareceu na batalha de Alcácer-Quibir, na África, no dia 4 de agosto de 1578, enquanto comandava tropas portuguesas. Como ninguém o viu tombar ou morrer, espalhou-se a lenda de que El-Rei voltaria. Alimentado por lendas e mitos, sobreviveu no imaginário português até o século XVII e tem suas raízes na concepção religiosa do messianismo, que acredita na vinda ou no retorno de um enviado divino, o *messias;* um redentor, com capacidade para mudar a ordem das coisas e trazer paz, justiça e felicidade. É um movimento que traduz uma inconformidade com a situação política vigente e uma expectativa de salvação, ainda que miraculosa, através da ressurreição de um morto ilustre.

Conforme já destacamos, mas gostaríamos de assinalar novamente, a lenda começa em Portugal quando o rei Dom Sebastião saiu para lutar na batalha contra os mouros e não mais retornou. O povo se sentiu órfão e até hoje, conta-se, espera seu herói. Essa história revela a dependência do país por um herói nacional e o Brasil herdou essa espera eterna dos portugueses. No nosso caso, quem seria esse Dom Sebastião? Os marechais das

pela cidade inteira. Na peça, a chegada de um forasteiro (o comandante do Zepelim) à cidade traz medo e pavor a todos os habitantes. O homem ameaça acabar com tudo exceto se a Geni não deitasse com ele. Como ela, apesar de tudo "também tinha seus caprichos", recusou-se a fazê-lo, todos aqueles que atiravam pedras e cuspiam nela foram até a moça implorar para que aceitasse dormir com o rapaz. Como "foram tantos os pedidos [...] ela dominou seu asco", e aceitou o convite para salvar a cidade, mas "logo raiou o dia e a cidade em cantoria não deixou ela dormir: joga pedra na Geni...". A letra da canção pode ser conferida em: <https://www.letras.mus.br/chico-buarque/77259/>. Acesso em: 12 jan. 2019.

guerras contra o Paraguai na batalha do Tuiuti o seriam? Talvez o nosso não precisasse nem retornar de alguma batalha para se tornar herói. Ele tem é que ir e voltar, o que Moro de fato fez.

SÉRGIO MORO: DE JUIZ JULGADOR A HERÓI SALVADOR

O herói juiz Moro é aquele que parte da sociedade sempre pediu: alguém capaz de aniquilar o inimigo comum (na ótica de seus partidários) e mostrar aos outros supostos inimigos que a partir daquele momento na sociedade estaria sendo reestabelecida certa ordem. E essa ordem é aquilo que parte da sociedade entende como o melhor para que ela mesma consiga respirar, viver e o herói deve pelejar por isso.

Moro vai ao encontro dos anseios da população e principalmente ao que a imprensa o incumbiu: salvar a direita que recém saíra do armário (SOUZA, 2016). Memes compartilhados nas redes sociais digitais afora faziam piada da seletividade do magistrado, mostrando por exemplo, num deles, o juiz numa montagem da foto de São Francisco de Assis segurando um tucano com a legenda: São Moro, protetor dos tucanos (figura 03).

Figura 3 - São Moro, protetor dos tucanos

Fonte: Mídia Ninja, 2016.

A *Carta Capital*, número 1002, abriu capa: "Maior que ele, só Deus: com uma decisão a respeito de Lula e outra sobre uma extradição de Portugal, Sérgio Moro revela que a justiça tem uma última instância acima do supremo". A matéria comenta a atuação ambígua do juiz em diversos casos em que atuou, asseverando, acima de tudo, que ele tem um lado: o dos políticos alinhados ao espectro ideológico de direita. O magistrado nem se esforça em neutralizar tal suposição, posando em fotos com políticos do PSDB (figuras 4 e 5) especialmente.

Figura 4 - Moro ao lado de Aécio Neves (senador pelo PSDB/MG)

Fonte: Portal IG, 2016.

Na figura 4 Moro aparece num evento de premiação da revista *Istoé* em 2016 onde recebeu o prêmio no evento Brasileiros do Ano, patrocinado pela publicação da família Alzugaray. A imagem mostra o juiz descontraído em conversa ao pé do ouvido com o senador por Minas Gerais e candidato derrotado nas eleições de 2014, Aécio Neves, do PSDB.

Figura 5 - Moro ao lado de João Dória e Fernando Capez

Fonte: O Cafezinho, 2016.

Nesta foto (figura 5) Moro aparece ao lado do então candidato à prefeitura de São Paulo, João Dória (e governador de São Paulo eleito em 2018), e do deputado estadual Fernando Capez, ambos do PSDB de São Paulo. A foto é de um evento promovido pelo Lide, uma entidade que reúne empresários capitaneados pelo então candidato a prefeito da capital paulista. A despeito do fato de que a discrição e o comedimento fazem parte da conduta ético- moral de um magistrado, ele surge novamente ao lado de lideranças parte interessada no processo contra Lula e que também nutrem ampla simpatia pelo juiz paranaense por este supostamente combater a corrupção (dos outros). Foto com alguma personalidade ou político ligado à esquerda, Moro não tem.

Em fins de 2016 o poder factual e simbólico[47] de Moro estava na estratosfera. Dois anos mais tarde, continuava, com algumas críticas mais severas à sua atuação, mas ainda conservando seu poderio judicante. Um exemplo foi a decisão do STF de retirar de Moro os processos contra Lula relacionados ao sítio em Atibaia. Ao conhecer a decisão o juiz preferiu esperar a publicação do acórdão para analisar e então verificar se remeteria o processo ou não à Justiça de São Paulo, ou seja, iria analisar se cumpriria uma ordem de uma instância, a rigor, superior a ele. Sobre esse poder sem limites, Mino Carta, editor-chefe de *Carta Capital,* observa: "Há algo de místico na atuação de Moro e da sua turma de pregadores milenaristas, como se portadores da convicção granítica de lhes caber o papel de vingadores do futuro, de salvadores da pátria" (CARTA CAPITAL, 2018, p. 23).

O jogo em que Moro participa, ou seja, o do direito, é aquele que Bourdieu (1998) assinala como parte de uma ciência jurídica que goza de uma autonomia absoluta em relação ao mundo social, ou até como "um reflexo ou utensílio ao serviço dos dominantes" (1998, p. 209). Sobre isso Jessé de Souza destaca o caráter operatório do que ele chama a classe média de "capataz da elite do dinheiro de modo a subjugar a sociedade como um todo" (SOUZA, 2017, p. 147).

Assim, a esfera do poder simbólico do qual Moro é oriundo e em 2016 um de seus maiores representantes, exerce na prática o que Bourdieu assinala sobre o campo jurídico:

---

[47] O simbólico a que nos referimos é o de Bourdieu (1998, p. 9): "(...) trata-se de um poder de construção da realidade que tende a estabelecer uma ordem gnoseológica: o sentido imediato do mundo (e, em particular, do mundo social) supõe aquilo que Durkheim chama o conformismo lógico, quer dizer, 'uma concepção homogênea do tempo, do espaço, do número, da causa, que torna possível a concordância entre as inteligências'".

> O campo jurídico é o lugar de concorrência pelo monopólio do direito de dizer o direito, quer dizer, a boa distribuição (nomos) ou a boa ordem, na qual se defrontam agentes investidos de competência ao mesmo tempo social e técnica que consiste essencialmente na capacidade reconhecida de interpretar (de maneira mais ou menos livre ou autorizada) um corpus de textos que consagram a visão legítima, justa, do mundo social. É com esta condição que se podem dar as razões quer da autonomia relativa do direito, quer do efeito propriamente simbólico de desconhecimento, que resulta da ilusão da sua autonomia absoluta em relação às pressões externas (BOURDIEU, 1998, p. 212).

No Brasil de 2016 em pleno processo de *impeachment* da (ex-)presidente Dilma, Moro é a própria interpretação da lei! Ele sabia que não poderia ter divulgado os áudios entre a (ex-)presidente e o também ex-presidente Lula mas o fez para, segundo sua interpretação, "fazer a sociedade saber do que se passava nos bastidores do poder no país". Mais tarde levou uma reprimenda do ministro do STF Teori Zavawski e se desculpou (não de ter divulgado o áudio, mas da comoção social que seu ato causara). Ou seja, no imaginário da época, o que Moro dissesse era a própria síntese das regras do campo jurídico. Ele exerce o poder pelo saber, nos termos de Foucault.

No campo em que Moro transita

> a concorrência entre os intérpretes está limitada pelo fato de as decisões judiciais só poderem distinguir-se de simples atos de força políticos na medida em que se apresentem como resultado necessário de uma interpretação regulada de textos unanimemente reconhecidos: como a Igreja e a Escola, a Justiça organiza segundo uma estrita hierarquia não só as instâncias judiciais e os seus poderes, portanto, as suas decisões e as interpretações em que elas se apoiam, mas também as normas e as fontes que conferem a sua autoridade a essas decisões (BOURDIEU, 1998, p. 214).

Pois é, mas o herói rompe essa liturgia e o faz em nome do interesse público, das pessoas, do povo, o que "parafraseando Maquiavel (...) é preciso levar em consideração mais o pensamento da praça pública que do palácio" (MAFFESOLI, 2014). E inspirado novamente em Maffesoli (2014) Moro parece ter incorporado convenientemente uma necessidade que corresponde ao espírito do nosso tempo, qual seja, (MAFFESOLI, 2014, p. 102) que é "a partir do local, do território, da proxemia, que se determina a vida em nossas sociedades".

Ou seja, quando o herói participa ativamente do processo de *impeachment* da (ex-)presidente Dilma como um "vetor necessário" (MAFFESOLI, 2014), imprimindo a energia necessária, uma efervescência (Durkheim) ou virtú (Maquiavel) a despeito dos aspectos objetivos que, só a *posteriori* poderão ser reconhecidos (ou legitimados, no nosso caso), ele incorpora a interpretação dos textos canônicos do direito numa "postura universalizante"[48], mesmo invocando para isso uma suposta imparcialidade de suas ações, embora "essa retórica da autonomia, da neutralidade e da universalidade (...) está longe de ser uma simples máscara ideológica" (BOURDIEU, 1998, p. 216). Portanto, quando Moro percebe (voluntariamente ou não) o momento de sua intervenção capital na história da democracia brasileira, ele (SOUZA, 2016, p. 127) então "apostou todas as fichas e ganhou (...) retirando-se de cena com o dever cumprido [trazendo o elixir, nos termos e Campbell

---
[48] Moro toma para si o que Bourdieu (1998, p. 216) assinala sobre o campo jurídico: "aquilo que se chama 'o espírito jurídico' ou o 'sentido jurídico' e que constitui o verdadeiro direito de entrada no campo (evidentemente, com uma mestria mínima dos meios jurídicos acumulados pelas sucessivas gerações, quer dizer, do corpus de textos canônicos e do modo de pensamento, de expressão e de ação, em que ele se reproduz e que o reproduz) consiste precisamente nesta postura universalizante".

para sua jornada do herói]: foi o golpe de misericórdia em um governo que já estava nas cordas".

Na gramática do imaginário (DURAND, 2014, p. 88), "no *sermo mythicus*[49], o substantivo deixa de ser o determinante, o 'sujeito' da ação e, *a fortiori*, o 'nome próprio' para dar lugar a muitos atributos – os 'adjetivos' – sobretudo à 'ação' expressa pelo verbo". O atributo do prenome Sérgio[50] ("servo") e de Moro que tem origem italiana significando "de pele escura", ou "moreno" podem, numa interpretação livre aqui ter sido útil para designar, no contexto apresentado "aquele que *serviu* [grifo nosso] como peça decisiva no chamado golpe".

Nesse sentido, o herói Moro encarna o anseio antigo da mídia: esconder e se possível tolher os voos da esquerda para projetos de governo que privilegiem aspectos que vão contra seus interesses. Amorim (2016) conta que Roberto Marinho, dono da Rede Globo deu três instruções ao seu diretor de jornalismo Armando Nogueira sobre como editar o Jornal Nacional: a primeira delas é a ausência de pretos e pobres na tela; a segunda é, sempre que Brizola fosse notícia, por mais que o critério jornalístico fosse imperativo para a exibição de tal fato, era preciso autorização dele para isso; e a terceira – e mais reveladora – do "poder kaniano[51]" da mídia brasileira: o Jornal Nacional é o que é não pelo que mostra mas pelo que esconde. Assim, fica fácil entender muitos anos depois como a Globo mostra o que lhe convém sobre

---

[49] Núcleo mítico.

[50] O site www.significadodonome.com.br afirma que 0,2% da população brasileira se chama Sérgio. Desses, 7% estão no Paraná. Disponível em: <https://www.significadodonome.com/sergio/>. Acesso em: 26 jun. 2018.

[51] Em alusão ao clássico Cidadão Kane, de Orson Welles, que mostra a vida de um magnata da comunicação que de tão poderoso poderia controlar o que era publicado e até o que não fosse divulgado.

Moro (imagens e narrativas declamatórias dos seus prodígios como juiz são divulgados aos borbotões, mas esconde, por exemplo, o caso Tacla Durán[52]). Numa adaptação das instruções de Roberto Marinho para Armando Nogueira: Moro é o que é mais pelo que a Globo (mas aqui entendido também como grande mídia) esconde sobre ele, do que pelo que ela publica!

---

[52] Rodrigo Tacla Durán é um advogado que atualmente (2020) mora na Espanha por ter dupla nacionalidade, que acusa o padrinho de casamento de Moro de negociar as delações premiadas com a Lava Jato. A mídia até hoje (2020) não deu destaque para o caso, fazendo pouco caso da história, dando de ombros a la Moro: "não vem ao caso".

O IMAGINÁRIO

> Sou definitivamente contra o definido, porque o
> definido é o bastante e o bastante não basta.
> (Fernando Pessoa)

O brasileiro tem uma percepção equivocada da realidade (IPSOS MORI, 2017)[53]. Um dado curioso sobre isso é que 48% dos entrevistados acreditam que meninas de 15 a 19 anos engravidam anualmente, mas os dados reais mostram que são 6,7% apenas. Além disso, acreditam também que a Rússia é o país em que mais se consome álcool, o que não corresponde à realidade (o país é 7º no ranking mundial). E por que essa distorção toda? Não é o objetivo desse estudo ater-se ao mérito da pesquisa, mas o resultado indica que as diferenças de percepção, nesse caso, são fruto do imaginário brasileiro, imaginário esse que daria mostras de sua presença na mentalidade do brasileiro principalmente com os acontecimentos políticos sociais surgidos na segunda década dos anos 2000.

No contexto em que o país vivia em 2016, era natural que surgisse um herói, alguém que representasse o poder de metabolizar as ambições e anseios do povo numa luta contra um ente ou uma ideia. Após mais de 10 anos de governo esquerdista acontece enfim o esgotamento do sistema (MAFFESOLI, 2011) catapultado pelas fraturas internas cujas manifestações de junho de 2013 puderam revelar e, consequentemente, resultar na perda da sua evidência[54].

---

[53] Disponível em: <https://perils.ipsos.com/>. Acesso em: 14 dez. 2017.

[54] É o que explicaria a força agregadora dos movimentos daquela ocasião, nos termos de Maffesoli (2011, p. 64): "foi porque era ele, porque era eu [...]"

Naquele contexto de conturbação social, o magistrado surge amparado na sua autoridade moral (DURKHEIM, 1968), legitimado e aceito como tal por meio de imposições que começariam a tomar corpo com as consequências e desdobramentos das ações de caça às bruxas da Polícia Federal (braço operacional do herói) tudo sob o manto sagrado do "combate à corrupção" (a condução coercitiva do reitor da UFSC e seu suicídio corroboram o estado de exceção que começava a ser forjado, ainda que embrionário, na cena social brasileira[55]). Dias depois a mesma Gestapo tupiniquim fez outra incursão numa universidade federal, no caso a UFMG, conduzindo coercitivamente o reitor e diversos professores da instituição. O nome da operação foi uma alusão a uma canção de João Bosco e Aldir Blanc: "Esperança equilibrista". Os compositores não gostaram e pediram que a PF desfizesse o batismo.

Nesse ambiente de polarização social o herói surge para redimir um lado da história, que em 2016 era o majoritário: o da direita conservadora. Numa observação informal, em Curitiba especialmente, ser contra ou manifestar quaisquer opiniões divergentes sobre o juiz Moro poderia lhe custar, no mínimo, inimizades. Isso tudo faz parte de um imaginário: o do redentor, daquele que "virá impávido como Muhammad Ali[56]" para salvar seu povo,

poderíamos acrescentar: porque éramos nós". Ou seja, é a "magia" do momento.

[55] No dia 02/10/2017 o reitor da UFSC (Universidade Federal de Santa Catarina) cometeu suicídio ao pular de um piso de um shopping em Florianópolis. Disponível em: <http://dc.clicrbs.com.br/sc/noticias/noticia/2017/10/reitor-da-ufsc-comete-suicidio-em-shopping-de-florianopolis-9921500.html>. Acesso em: 14 dez. 2017. Sobre a repercussão da morte do professor conferir em <http://justificando.cartacapital.com.br/2017/10/17/cancellier-um-corpo-que-cai-para-outros-se-levantarem/>. Acesso em: 14 dez. 2017.

[56] O trecho é alusivo à música Índio, de Caetano Veloso. Muhammad Ali era o nome pós-conversão ao islamismo de Cassius Clay, mítico pugilista norte-americano que, além de esportista de sucesso era ativista político.

lutar contra os gigantes, enfim, resgatar uma pseudo autoestima outrora perdida.

O imaginário pode desencadear em duas ocorrências: reservatório e motor. Reservatório, porque contém imagens, sentimentos, lembranças, experiências, visões do real que realizam o imaginado, leitura da vida. É a sedimentação de um modo de ver, de ser, de agir, de sentir, e de aspirar ao estar no mundo (SILVA, 2012). "O imaginário é uma distorção involuntária do vivido que se cristaliza como marca individual ou grupal" (SILVA, 2012, p. 12). E ele é também motor porque faz acontecer, funciona como um catalisador, estimulador e estruturador dos limites das práticas. O imaginário é a marca digital simbólica do indivíduo ou do grupo na matéria do vivido. Ou seja: como reservatório, é a impressão digital do ser no mundo e, como motor, é o acelerador que proporciona a ação. Dessa forma, "o homem age (concretiza) porque está mergulhado em correntes imaginárias que o empurram contra ou a favor dos ventos" (SILVA, 2012, p. 12).

Em situações de crise, desamparo, opressão ou algum sentimento de frustração, é esse reservatório que vai forjar o surgimento do herói. As imagens, e principalmente a percepção da vida cotidiana é que vão subsidiar a criação de tipos (e arquétipos). A partir de então, imprime-se velocidade para a concretização dessas personas. É o imaginário do herói sendo construído. E isso acontece no nível coletivo. O grupo é um indivíduo de múltiplas cabeças (SILVA, 2012) e o imaginário é determinado pela ideia de fazer parte de algo, então se partilha diversas coisas como filosofia de vida, linguagem e atmosfera entre o "racional e o não racional" (MAFFESOLI, 2001, p. 80).

No imaginário, a cópia estimula um imaginário em que "a perda transforma-se em ganho, o desencantamento, em encantamento, a banalização, em reinvestimento na origem" (SILVA, 2012, p. 65). Nesse caso, não há contradição entre o original e a cópia, pois se cultua um (original) através do outro (cópia). Quando das manifestações a favor das ações do magistrado federal, a passagem das imagens do herói Moro de outros dispositivos (cartazes, faixas, por exemplo) para a *web*, o que acontece é a imagem desse herói transformada em "eterno presente", pelos recursos da técnica (mas não por causa dela – pois não podemos incorrer em determinismos). A aura do herói (e do nosso herói Moro) é feita e refeita pelo imaginário.

Podemos também chamar o imaginário de "a louca da casa[57]" (SILVA, 2017), e afirmar ainda que "todo imaginário é kafkiano[58] uma revelação absurda: metamorfose, mutação, choque perceptivo (...) uma mudança radical na figura (imagem) que protagoniza a ação. Uma passagem" (SILVA, 2017, p. 17). O imaginário é ainda uma usina de mitos, então as tecnologias que o engendram (SILVA, 2012) são fábricas de mitologias (com seus discursos e fábulas que informam o "trajeto antropológico", qual seja, a incessante troca que existe no nível do imaginário entre as pulsões subjetivas e assimiladoras e as intimações objetivas emanando do meio cósmico e social (DURAND, 1997, p. 41) de cada um. E nesse "trajeto antropológico, na ação--retroação, o que existe é essa coisa do vai e vem, da reversão" (MAFFESOLI, 2017). Assim, como o virtual, o imaginário também não se opõe ao real, é a complementação

---

[57] Esse termo é cunhado por Nicolas Malebranche (2010) que denominou a imaginação como *"folle du logis"* (a louca da casa).

[58] No primeiro parágrafo de Metamorfose (KAFKA, 1986) tem-se uma apresentação emblemática do imaginário do autor.

do real, uma realidade sempre aumentada (SILVA, 2017), portanto, a emulação do herói na mídia[59] não são a fantasia projetada na superfície do texto mas sim a hipérbole de uma realidade que já se avizinhava e que vem à tona por meio do imaginário forjado pelo veículo estudado.

Estudioso do imaginário Gilbert Durand (1997) divide a profusão das imagens em regimes diurno e noturno. No âmbito noturno do imaginário (DURAND, 1997, p. 355-356) "as imagens arquetípicas ou simbólicas [...] ligam-se às outras sob a forma de narrativa [e] é essa narrativa [...] que chamamos mito" e mais ainda

> O que importa no mito não é exclusivamente o encadeamento da narrativa, mas também o sentido simbólico dos termos. Porque o mito, sendo discurso, reintegra uma certa "linearidade do significante", esse significante subsiste enquanto símbolo, não enquanto signo linguístico arbitrário (DURAND, 1997, p. 356).

Busca-se por meio da análise das matérias *corpus* deste estudo fazer (SILVA, 2017) emergir espontaneamente o sentido oculto do imaginário da época afinal "o ocultamento – ou as condições e processos desse recobrimento – é que constitui o trabalho de compreensão e de interpretação do caminho do sentido até sua eclosão.

Discorrer sobre o imaginário é um exercício de convencimento constante. Isso porque nas Ciências Humanas o que parece imperar é a razão, e as imagens (e o imaginário) ficariam relegados a outros campos de interpretação. Como ensina um dos maiores estudiosos do imaginário, Gilbert Durand:

---

[59] Muitas vezes nos referimos à mídia no sentido *lato*, mas que aqui toma o significado do objeto de estudo. Ou seja, a mídia aqui, salvo exceções (e, nesse caso, pormenorizadas no fórum adequado para tal) quer dizer: Gazeta do Povo.

> O pensamento ocidental e especialmente a filosofia francesa tem por constante tradição desvalorizar ontologicamente a imagem e psicologicamente a função da imaginação "fomentadora de erros e falsidades" (...). Para Brunschvicg toda a imaginação – mesmo platônica! – é "pecado contra o espírito". Para Alain, mais tolerante, "os mitos são ideias em estado nascente" e o imaginário é a infância da consciência (DURAND, 1997, p. 20).

A infância pode ser entendida como o lugar natural do imaginário: um tempo no lugar, um lugar especial por seu caráter eterno (que nunca se apaga), ou um não lugar real e intemporal. O período da infância não é uma invenção da imaginação, mas (SILVA, 2017, p. 18) "um tempo imaginado durante a sua vivência e vivido com imaginação".

"O imaginário é esse jardim que sempre floresce, chamado de infância" (SILVA, 2017, p. 144) cujo exemplo é *Rosebud* (SILVA, 2017), palavra dita pelo personagem central do filme de Orson Welles, Cidadão Kane, que aparece na última cena da película (essa palavra era o nome do trenó do magnata que era pobre, se torna rico e perde tudo) sendo queimado, ou seja, talvez a síntese do sentido que cada um dá a sua vida e que permanece encoberto para os demais.

Poderíamos pensar se (e como) o imaginário atua por meio do agendamento na medida em que (SILVA, 2017, p. 95) "ao dizer o que se deve falar, a mídia garante (ou garantiria) o essencial: a focalização daquilo que conta, o que conta para ela e seus negócios. No imaginário da mídia, a mídia conta o que se imaginará. Assim, (SILVA, 2017) todo imaginário é hiper-real (e hiper-real é o real que encontrou significado), transfigurada pelo sentido. Nessa toada, o hiper-real forja a percepção de que algo é mais real que o real e então (SILVA, 2017 p.45) "o replay do gol torna o gol 'natural', o gol 'real', o gol 'ao vivo', deficiente, incompleto, menor". Moro herói é esse gol do *replay* através das linhas dos jornais que o emularam: cultua-se a cópia, louva-se a sobra (e o imaginário é isso, o que excede).

É imperativo buscar no imaginário as respostas para o que se propõe este estudo já que o imaginário não pode ser negligenciado na composição de todo o contexto que 2016 e suas personagens impuseram à nação. Assim, Durand (1997, pp.28-29) nos adverte que:

> A psicologia geral, mesmo a timidamente fenomenológica, esteriliza a fecundidade do fenômeno imaginário, rejeitando-o pura e simplesmente ou então reduzindo-o a um inábil esboço conceitual [...]. O grande mal-entendido da psicologia da imaginação é, afinal para os sucessores de Husserl e mesmo de Bergson, o terem confundido, através do vocabulário mal elaborado do associacionismo, a imagem com a palavra.

Portanto, pensar a construção do herói nacional forjado pela imprensa é passar pela constatação de que (DURAND, 1997, p. 29) "no símbolo constitutivo da imagem há homogeneidade do significante e do significado [...] e que, por isso, a imagem difere totalmente do arbitrário do signo". Aliás, esse heroísmo fabricado pela imprensa tem sua gênese no simbolismo das imagens e sua força e que "o simbolismo aberto nos prova que o homem tem necessidade de imaginar, que tem direito de imaginar, que tem o dever de aumentar o real" (BACHELARD, 1962, p. 5-6), ou seja, todo imaginário é um excedente (SILVA, 2017).

Para além de celebridade da vida ordinária, o juiz herói Moro é o herói do campo político[60] (BOURDIEU, 1998),

---

60 Moro pertence também ao campo político na medida em que suas decisões, pronunciamentos e participações em eventos sociais (premiações e convescotes

ou ao menos é utilizado como o sendo deste, já que em seu próprio campo (jurídico) sofre severas críticas sobre sua atuação, o que, entretanto, não o atrapalha na sua jornada heroica porque naquele Brasil de 2016 não havia uma só autoridade jurídica de peso que se dispusesse a contrariar as decisões do magistrado nos tribunais superiores. O próprio TRF-4 praticamente referendou todas as decisões de Moro, mesmo muitas delas sendo controversas. Medo de ir contra a corrente do imaginal da sociedade naquela época? Talvez. É o imaginário tornando real esse hiper-protagonismo do herói paranaense que contagiou e contaminou a última instância onde isso poderia chegar – e o que de fato o fez.

Neste estudo apresentamos a ideia (MAFFESOLI, 2017) de imaginário como base e pavimentação do que pretendemos utilizar na nossa análise, qual seja, as tecnologias do imaginário, quer dizer, os instrumentos e aparatos que operam o imaginário, que o tornam real e que também torna o real imaginado. Acreditamos ser este um arcabouço teórico fundamental para demonstrar como a mídia forjou o herói Moro, com especial destaque para o ano de 2016 (ano do *impeachment*) porque se aproveitou (consciente ou inconscientemente disso) da atmosfera social contra partidos de esquerda para eleger uma pessoa que sintetizasse o combate a esse estrato político-ideológico e social, e o eleito foi o juiz Moro, cantado em prosa e verso em sua jornada heroica nas páginas dos jornais país afora.

---

com personalidades políticas) contribuem para o desequilíbrio do jogo político num ambiente de tensão que o país vivia no tempo de análise deste estudo (2016, especialmente). Nos termos de Bourdieu (1998, p. 151-152), o juiz está num campo de "lutas simbólicas, em que os profissionais da representação, – em todos os sentidos do termo – se opõem a respeito de outro campo de lutas simbólicas (...) sem nos conformarmos com a mitologia da tomada de consciência, a passagem do sentido prático da posição ocupada, em si mesma disponível para diferentes explicações, a manifestações propriamente políticas".

AS FASES DA BACIA SEMÂNTICA

Durand (1996) compara a cristalização do imaginário a um rio de sentidos, uma correnteza que no seu percurso vai delineando o processo de imaginação e seus efeitos. Assim, ele formulou a noção de bacia semântica, ou seja, o reservatório dos sentidos composto por diversas fases. "Parafraseando" Durand, Silva (2017) propõe na sua tese sobre o imaginário como o excedente de significação, uma nova bacia com três fases a mais (até para fazer um paralelismo com sua ideia de excesso), que a bacia sugerida pelo teórico francês.

Sendo assim, nesta subseção propomos uma "viagem da jornada do herói" pelas seis fases da bacia semântica (DURAND, 1996) e as nove etapas como reconhecimento do banal (SILVA, 2017), já que (CAMPBELL, 2007) o herói [Moro incluso] é comum, vem dos seus, se torna alguém especial e retorna para sua gente trazendo a recompensa dos deuses por seus feitos. Ou seja, propomos aqui que esse caminho é, acima de tudo, um percurso de sentido. Dessa forma, nas próximas linhas mostramos como isso acontece numa discussão entre Durand, Silva, Campbell e nosso objeto de pesquisa.

Das seis fases da bacia semântica, a primeira começa com o escoamento, que é quando diversas correntes formam-se num determinado meio cultural. Essa primeira fase corresponde ao estágio I do herói, aquele em que ele é chamado do seu mundo ordinário para aventuras nunca dantes por ele imaginadas. Uma das corretes que desperta o chamamento do herói são as Jornadas de Junho[61], que a

---

[61] Foram as manifestações pelo passe livre que se iniciaram na capital paulista como protesto pelo aumento da tarifa de ônibus e se alastraram pelo país inteiro com diferentes pautas reivindicatórias. Essas manifestações foram o "start"

mídia fez questão de destacar vultuosamente em reportagens, matérias e artigos aos borbotões. Ali estava o "ovo da serpente" (SOUZA, 2016) do processo de *impeachment* da (ex-)presidente Dilma e foi lá também o ressurgimento de correntes imaginais como os valores do conservadorismo político-econômico-social e que identificaram no juiz federal sua síntese operacional do que enfim poderia ser a "virada", depois de tanto tempo de governos progressistas, especialmente os de esquerda e com especial destaque para os do PT (Partido dos Trabalhadores). Nesse escoamento da bacia de Durand *pseudo* pensadores e articulistas[62] ganharam um espaço que nunca teriam em outros tempos, mas que com essa correnteza toda não apenas tiveram tal "lugar de fala" como também participaram ativamente do processo de transformação política, além de referendar o surgimento de Moro como aquele que viria a redimir a todos que "recém-saídos do armário"[63].

A segunda é a divisão das águas (os escoamentos se reúnem em partidos, escolas – é quando acontecem as querelas). Durand (2014, p. 107) assinala que esta fase é "o momento da junção e alguns escoamentos que formam uma oposição mais ou menos acirrada contra os estados imaginários precedentes e outros escoamentos atuais". Na nossa analogia, essa fase é a da recusa do chamado que se revela quando as primeiras críticas ao trabalho de combate a corrupção começam a surgir. Delações possivelmente

---

para todas as outras que viriam em seguida e que culminaram na cassação do governo Dilma.

[62] O hoje (2019) deputado federal Kim Kataguiri (líder do MBL – Movimento Brasil Livre) desfrutou de uma coluna semanal no maior jornal do país, a Folha de S.Paulo. O "filósofo" Olavo de Carvalho foi uma figura que municiou intelectualmente toda a corrente conservadora da época.

[63] Imaginemos aqui os mortos-vivos de *Thriller*, de Michael Jackson para facilitar a visualização do processo.

ilegais, utilização de acusações sem provas e fotos com políticos de determinados partidos, além de participação em eventos de premiação são as principais críticas que chegam ao herói. Correntes que denunciavam a parcialidade do juiz se chocam com aquelas que o louvam e então essa aparente recusa ao chamado, por meio do perfil (até então) *low profile* do magistrado e que a mídia mostrou diversas vezes em reportagens sobre seu estilo de vida, também começa a transparecer já sabendo de antemão que essa característica se revelaria falsa mais tarde, posto que o herói gostava sim de aparecer, de ser estrela, de receber os louros do seu trabalho. A mitologia guarda um conselho bastante apropriado para isso: nem todos os que hesitam se perdem, "a psique reserva muitos segredos, que só são revelados quando necessário" (CAMPBELL, 2007, p. 70) e o herói Moro então esperou tal momento para fazê-lo.

A terceira fase, confluências (uma corrente já constituída tem necessidade de reconhecimento e do apoio das autoridades e de personagens influentes), emerge quando o herói recebe os diversos prêmios país e mundo afora por sua atuação no combate à corrupção. Essa fase tem semelhança com o auxílio sobrenatural (CAMPBELL, 2007) já que o herói tupiniquim começa a ser reconhecido no exterior por seus feitos no país, e dessa forma, sendo legitimado na lei do circuito de consagração social de Bourdieu[64], a mídia busca seu próprio reconhecimento como legitimadora do herói por meio de seus pares lá fora, que a legitimam como credenciada a elevar o juiz como herói aqui no Brasil. Traduzindo: se a Forbes diz que Moro é uma das personalidades do ano significa que a mídia brasileira não estava errada em endeusá-lo por aqui. Essa fase do

---

[64] Segundo Bourdieu "os circuitos de consagração social são tanto mais eficazes quanto maior a distância do objeto consagrado".

herói é aquela em que ele consegue proteção, blindagem para seguir seu caminho e, como no Brasil se já se iniciava (mesmo que timidamente e conforme a fase anterior) um movimento de críticas ao seu trabalho, nada como a instância superior (norte-americana, de preferência) para subscrever o herói aqui forjado pela mídia. Nos termos de Campbell (2007, p. 74):

> Para aqueles que não recusaram o chamado, o primeiro encontro da jornada do herói se dá com uma figura protetora (que, com frequência, é uma anciã ou um ancião), que fornece ao aventureiro amuletos que o protejam contra as forças titânicas com que ele está prestes a deparar-se.

A quarta fase, que é o nome do rio (mito ou história reforçada pela lenda esboça um personagem real ou fictício que denomina, tipifica e encarna a bacia semântica como um todo), é onde a mídia já começa a tratar Moro como herói sem escrúpulo algum. Isso se dá por meio da publicação de perfil (à moda de como é feito com celebridades) e de matérias ao estilo "mitos e verdades sobre Moro"[65]. Aqui já começam também a ser produzidos materiais de louvação ao herói como biografias e filmes inspirados no magistrado[66]. Isso tudo como uma preparação para o estágio

---

[65] Uma delas busca responder se o pai de Moro foi mesmo fundador do PSDB em Maringá (não foi); outra, se Moro foi treinado pelo FBI (também não foi). O conteúdo está disponível em: <https://www.gazetadopovo.com.br/justica/quem-e-sergio-moro-mitos-e-verdades-sobre-o-juiz-da-lava-jato-3kozhft10zuunbh9mrtiw0q1z/>. Acesso em: 20 out. 2018.

[66] O filme "Polícia Federal, a lei é para todos", inspirado na Operação Lava Jato, coloca o juiz como o grande herói da trama. A série "O mecanismo", de José Padilha, exibida pelo Netflix conta uma história de corrupção cujos personagens têm tudo a ver com a Operação Lava Jato. Sobre a biografia do juiz utilizamos aqui inclusive duas fontes, Lava Jato, de Vladimir Netto, e Sérgio Moro, a história do homem por trás da operação que mudou o Brasil, de Joice Hasselmann, ambas de 2016.

seguinte da jornada do herói que é a passagem do primeiro limiar.

Já a quinta fase, a organização dos rios, se dá com a "consolidação teórica dos fluxos imaginários onde ocorrem, com frequência, os exageros de certas características da corrente pelos 'segundos fundadores' como São Paulo e o prolongamento dos Evangelhos" (DURAND, 2014, p. 113). A associação desta fase aos estágios da jornada do herói é aquela do ventre da baleia (ainda na sua partida).

> A ideia de que a passagem do limiar mágico é uma passagem para uma esfera de renascimento é simbolizada na imagem mundial do útero, ou ventre da baleia. O herói, em lugar de conquistar ou aplacar a força do limiar, é jogado no desconhecido, dando a impressão de que morreu (CAMPBELL, 2007, p. 91).

Essa é a fase em que a mídia começa a publicar com mais frequência os "ataques à Operação Lava Jato" que são também os a Moro, já que trata-se do juiz responsável pelo processo. Aqui a mídia mostra que "forças poderosas querem acabar com o trabalho do juiz" e com isso colocam seu trabalho sob ameaça (real ou fictícia), cujo efeito desejado é a organização da defesa contra esses tais inimigos (que não é fulanizado muitas vezes pela imprensa – e outras o é, mas tem endereço certo: as esquerdas) com o fito de aglutinar forças ao lado do herói. Traduzindo: é preciso ajudar o herói, é preciso organizar a "resistência", é preciso unidade contra a corrupção (ou seja: a favor do magistrado).

Por fim, a última fase, qual seja o esgotamento dos deltas (formação das derivações – a corrente do rio, enfraquecida, se subdivide e se deixa captar pelas correntes vizinhas), se materializa quando já em 2016 mesmo e especialmente em 2017 e 2018 a popularidade do herói já não é mais a mesma[67]. Pesquisa revela inclusive que a popularidade de Moro vem caindo desde 2015 e em 2017 já chega a 45%[68]. Sem dúvida essa fase se coaduna com o estágio do caminho das provas, na iniciação do herói, tal qual assinala Campbell (2007, p. 102): "Tendo cruzado o limiar, o herói caminha por uma paisagem onírica povoada por formas curiosamente fluidas e ambíguas, na qual deve sobreviver a uma sucessão de provas".

Já Silva (2017) propõe que o imaginário é um excedente de significação e estabelece nove etapas de reconhecimento do banal, fases essas mais de canalização e disseminação e fluxos de relações universais. Silva (2017) chama de excedente de significação por meio do vazamento, que é a etapa onde "um acontecimento qualquer deixa escapar um filete de sentido [...] um escoamento inesperado, fruto mais de uma explosão do que de uma divergência, em busca de uma nova confluência" (SILVA, 2017, p. 82). Qual seria então esse filete de significado que escapou nas matérias sobre Moro no *corpus* escolhido? Que novos rios poderiam ser gerados de tais dutos?

Na primeira podemos pensar no significado que surge da ausência da investigação ou vedação do outro lado da história. Quando a imprensa publica, por exemplo, textos sobre os prodígios do herói Moro, não se dá o contraditório ao revelar, fazer vir à tona, as contradições desses atos. No caso dos rios que podem ser gerados desses dutos (que, na verdade, estão escondidos) é a disseminação

---

[67] Vale destacar que no final de 2018 ele recupera seu prestígio com o convite ao ministério da Justiça no futuro governo de Jair Bolsonaro.

[68] Segundo a pesquisa Ipsos (2017), enquanto a taxa de desaprovação de Moro subia, a de Lula, caia. Disponível em: <https://politica.estadao.com.br/noticias/geral,desaprovacao-de-lula-cai-e-de-moro-sobe-diz-instituto,70002013727>. Acesso em: 20 out. 2018.

de uma atmosfera onde paira o protagonismo de Moro frente a diversos acontecimentos e não se dá o devido crédito a outros coadjuvantes do processo. A etapa seguinte é a infiltração, onde o filete que escapara no vazamento encontra uma brecha para se imiscuir e passa a contaminar outro espaço e, "ao contrário da divisão das águas de Durand, anterior às confluências, a infiltração forma um pequeno lago que poderá se transformar numa configuração cheia de sentido" (SILVA, 2017, p. 83). A infiltração do heroísmo de Moro começou a contaminar o espaço nacional a partir do regional? Pode ser, já que a cidade de Curitiba (como veremos mais adiante) é terreno propício para o surgimento do herói nas condições que Moro aparece. Que brechas foram essas a abrir caminho para a contaminação de outro espaço? Uma delas talvez tenha acontecido no ano de 2013 quando os conservadores no Brasil se sentiram empoderados para mudar o país e encontraram no juiz Moro que começava a aparecer na mídia como combatente da corrupção, como aquele a quem chamaria de herói. Teria sido a divulgação da conversa entre Dilma e Moro, que proporcionou o recrudescimento das manifestações país afora e que fora decisivo para a abertura do processo de *impeachment* da ex-presidente[69]? Qual foi a intenção disso? Pelo fato de a autorização para divulgar a conversa entre Lula e Dilma ter sido determinante para o andamento do processo de *impeachment*, isso caracterizaria essa brecha pois teria sido por meio dela

---

[69] Sobre esse episódio Jessé de Souza é enfático: "O *timing* para o golpe passou a ser decisivo, e o juiz Sérgio Moro deu sua cartada final. Em uma tentativa de reorganizar o governo e ampliar sua base de sustentação popular, Dilma nomeou Lula como seu ministro da Casa Civil, com poderes de reconstruir o governo. O juiz Sérgio Moro decidiu – em atitude de alto risco que em qualquer país decente teria levado a consequências severas, como a perda do cargo – efetuar o vazamento ilegal de uma conversa entre a presidenta e Lula" (SOUZA, 2016, p. 126-127).

que o afastamento da (ex-)presidente aconteceu, ou seja, o herói foi determinante para tal.

Como terceira etapa tem-se a acumulação, em que "a acumulação derivada da infiltração começa como uma heresia e termina como um novo mito", onde o excesso pode produzir uma narrativa particular e hagiográfica. Moro herói, divindade, teria se travestido de mito pela imprensa? Que prodígios o tal mito estaria apto a realizar?

Moro foi acumulando prodígios como a decretação da prisão de um a um dos políticos mais poderosos do país além de mostrar firmeza em suas decisões e, melhor ainda, não ter suas decisões reformadas por tribunais superiores. A acumulação aqui se traduz na musculatura crescente do mito Moro nos jornais.

Na quarta etapa Silva fala em evocação, um procedimento de memória afetiva, que "realimenta a infiltração com imagens frescas e novas fugas favorecendo a acumulação e comunicando sentidos variados ao que originalmente era apenas uma marca superficial" (SILVA, 2017, p. 83). Seria a acumulação aquela em que os feitos dos heróis passados (o mais recente deles, talvez Joaquim Barbosa) contaminariam o imaginário da construção do herói Moro nas páginas dos jornais brasileiros, em especial as do *corpus* deste estudo? Talvez pois isso vem à tona toda vez que se faz a narrativa da justiça no combate à corrupção com alguém tendo aberto o caminho, tal qual João Batista.

A quinta etapa é o transbordamento, ou seja, o que fora acumulado transborda liberando as águas para a formação de um novo lago, que "encobre uma aldeia, uma cidade, uma história, um passado, cujas marcas ficarão submersas para sempre ou até seu esgotamento" (SILVA, 2017, p. 84). O novo herói da mídia, Moro, tendo acumulado todo um repertório da bacia semântica (DURAND, 1996) transborda formando um novo tipo de personalidade: aquele herói do mundo jurídico, e não do esporte, e não da política, como no caso de heróis passados. Dessa forma poderia se dizer que se trata de um herói produto de um excedente de imaginário? Sim, provavelmente já que esse excedente, no seu transbordamento emula também um tipo novo de referência nacional, qual seja, a figura do magistrado para os brasileiros. Antes complexa e de difícil inteligibilidade pela população em geral, a esfera jurídica começa a fazer parte do dia a dia da população. O STF é cobrado pela mídia e parece estar mais fácil a população agora saber o nome dos ministros da corte suprema que a escalação da seleção brasileira. Isso acontece porque a mídia coloca o judiciário como protagonista da condução política do país cujo expoente máximo – e herói – torna-se o juiz Moro.

Na sexta etapa, a deformação, "o enrugamento inicial evolui até tomar novas modelações. A deformação pode ser vista como uma conformação que dá nova forma sem, contudo, romper com o formato original" (SILVA, 2017, p. 84). Seria então o herói Moro da mídia uma deformação do próprio novo tipo de protagonismo que o imaginário buscava naquele momento do país? Ou seja, o novo (invocado até na política[70]) acabaria sendo o velho novo? Aqui o juiz e sua evocação como herói da pátria poderia seguir os mesmos padrões da emulação dos heróis de outrora e em total consonância à jornada do herói, além de especificamente a do monomito que, para Campbell, é basicamente a reunião das características do herói presentes em diversos contos e mitos

---

[70] Aqui fazemos tanto uma alusão ao discurso do novo na política como (consequência desse discurso) o Partido Novo.

mundo afora que podem ser resumidas num só mito, um só herói. Moro, no caso, é mostrado pela mídia (vamos analisar isso nos próximos capítulos) como aquele que vem do mundo comum, que é um sujeito como todos os demais. É o Clark Kent, que é o jornalista mauricinho no horário comercial, ou seja, o homem comum (com a pitada deste "comum" o ser para a classe média) que se traveste de super-homem quando acionado por alguém em perigo. Traduzindo: é o juiz comum de comarca de província que sai do seu gueto para enfrentar os todo-poderosos de Brasília. É a mesma história, é o retorno do mito (MAFFESOLI, 2017).

Com a sétima etapa do excesso de significação Silva (2017) aponta para a transfiguração, em que "a deformação converte-se em uma nova figura" (p. 84) e o "excesso de sentido torna-se o novo sentido". Que nova narrativa para um novo sentido fora ensejada na construção do juiz herói brasileiro? Que nova figura é essa que a mídia produziu? Que Frankenstein fora produzido? Quem sabe um kafkaniano Gregor Samsa *avant la lettre*? Que metamorfose fora essa?

Na verdade, essa transfiguração acontece tal qual Maffesoli (2011, p. 34-35) destaca sobre o místico e o político: "Se é verdade que 'tudo começa no místico e tudo termina no político' (Charles Péguy), podemos também concordar quanto à reversibilidade dessa fórmula". Ou seja, a mágica do herói juiz (considerando que esse tipo de herói não havia aparecido até então na história recente do país) e sua jornada messiânica se transfigura no juiz que exerce papel determinante na condução da política do país, exacerbando o papel do poder mediador (o judiciário) para o legislador (o político por excelência). Moro passa então de herói que exerce suas proezas a partir do seu campo (Bourdieu) àquele que busca ditar leis e costumes no campo da *polis* e da vida ordinária (isso pode ser conferido nas palestras que profere assinalando que é preciso, por exemplo, votar em políticos que estejam comprometidos com as medidas anticorrupção). Dessa forma, o herói cria a cizânia no mundo jurídico, e principalmente político – e este no sentido que Huizinga (1975) lhe confere, qual seja, a de "guardião das pluralidades" (MAFFESOLI, 2011, p. 35). Com isso – e por isso mesmo – o herói Moro transfigurado faz valer o antigo adágio *divide et impera*, ou seja, dividir para reinar, o que, segundo Maffesoli (2011) aplica-se também à divindade.

Na oitava etapa, a metáfora, "há a passagem do líquido para o sólido e o imaginário cristaliza-se quando todo o processo recebe um nome que, como metáfora, batiza o transfigurado fazendo do excedente uma nova identidade" (SILVA, 2017, p. 84-85). Não é tão somente o batismo do rio (DURAND, 1996), mas o reconhecimento da dimensão do significado excedente e o "imaginário só se dá a ver por evaporações sucessivas".

Na metáfora do herói Moro pela mídia, em que medida ele foi batizado como o salvador ou o moralizador? Ou os dois? Qual metáfora serviria bem ao juiz federal construído pela mídia? Na verdade Moro é apresentado ao Brasil com o objetivo salvífico operacionalizando sua tarefa pela moralização, junção perfeita para um herói magistrado (e com capa, a la Batman!). Prova disso são matérias que apresentam o juiz na frugalidade da vida[71] revelando traços de um cidadão cumpridor do seu dever, agindo de maneira correta, sendo,

---

[71] Matéria "Por que a marmita de Moro não deveria surpreender os brasileiros" busca assinalar a simplicidade de vida do magistrado e sugere que tal "vida franciscana" seja copiada pelas pessoas que "se acham mais importantes que as demais". Disponível em: <https://www.gazetadopovo.com.br/ideias/

no linguajar corrente do período de *impeachment*, uma "pessoa de bem". Nesse sentido, a nova identidade do excedente aqui poderia se configurar na ideia do juiz salvador, aquele que "nos livra do mal" (tal qual o título deste nosso estudo), como no Evangelho, posto que o juiz evoca nele mesmo o sagrado, dada a missão que a mídia lhe confere diuturnamente já que, conforme Maffesoli (2011, p. 42), "o 'dever-ser' evangélico condicionará o 'tu deves' político, isso com o apoio do sábio que elabora as leis racionais da coerção correlativa de tal injunção". Assim, na nova identidade da metáfora, o juiz é o herói que cumpre e que sugere novas leis. Isso tudo imbuído do seu lastro de confiança proporcionada pela "midiocracia", que para Maffesoli (2011, p. 90) é assim caracterizada:

> os publicitários, jornalistas e outros "líderes de opinião" não se enganaram ao, no lugar de querer dirigir as massas, preferir segui-las (...) os apresentadores vedetes da televisão, os jornalistas reputados e as diversas "stars" da telinha só alcançavam tal condição na medida em que se dobravam às exigências dos telespectadores, cristalizando-lhes as expectativas.

E por fim, na última etapa, o derretimento e evaporação, há o esgotamento dos vazamentos e infiltrações (os imaginários não são definitivos) e "o sólido começa a derreter [...] o imaginário perde a aura" (SILVA, 2017, p. 85), surgindo outra atmosfera, ou seja, "o imaginário é cíclico" (p. 85). No período estipulado para o estudo do tema (o *impeachment* de Dilma Rousseff) pode-se dizer que a construção do herói atingiu essa última etapa? Ou isso foi

---

por-que-a-marmita-de-moro-nao-deveria-surpreender-os-brasileiros-6v0gi-r7o43wl8w676sqsa16v0/>. Acesso em: 20 out. 2018.

somente alguns meses após o ocorrido (onde pesquisas de opinião mostraram que a popularidade de Moro decai cada vez mais)? No período de análise do *corpus* deste estudo essa última etapa não se aplicaria a Moro pois ele cumpre sua missão, nos termos de Campbell, embora trouxesse o elixir apenas com a condenação de Lula, um ano depois. No entanto, no início de 2018 seu prestígio junto à população em geral já não é mais o mesmo do de dois anos antes, então o herói, pode-se assim dizer, é contemplado nessa etapa nesse sentido. Como a análise do *corpus* neste estudo está circunscrita principalmente ao período do *impeachment* da (ex-)presidente Dilma (a despeito de mostrarmos o herói a partir do momento em que ele começa a aparecer na mídia e até o período que este estudo é redigido) podemos estender nossa interpretação assinalando que o herói Moro sim começará a derreter principalmente por sua soberba. Por exemplo, a sentença condenatória de Lula é criticada por juristas no Brasil e no exterior e, embora os jornais brasileiros tenham louvado a peça acusatória de Moro e a subsequente ratificação desta pelo TRF-4 – já que no país vige a presunção de culpabilidade no *mainstream* midiático brasileiro (LARANGEIRA et al., 2018) –, seus similares estrangeiros consideraram, isto sim, uma perseguição e violação ao estado democrático de direito. Pesquisas do primeiro semestre de 2018 já demonstravam também a queda da popularidade do juiz[72], ou seja, o herói magistrado foi derretendo pela mídia. Será que esse derretimento não resultaria algum resíduo? O que isso poderia querer dizer?

---

[72] Em maio de 2018 Moro era rejeitado por cerca de 50% da população. Lula, por 52%. Empate técnico entre eles. Disponível em: <https://jornalggn.com.br/noticia/desde-marco-aprovacao-a-lula-vem-crescendo-enquanto-a-de--moro-cai>. Acesso em: 20 out. 2018.

O excedente de significação que destaca Silva (2017) se aplica à construção do herói Moro, pois o que foi publicado foi também algo que transbordou e que depois se evaporou e é sobre isso que este estudo se detém por meio do exame do seu *corpus*, e tudo isso materializado pelas tecnologias do imaginário que, no nosso caso, é o principal periódico de Curitiba, a Gazeta do Povo.

Essas tecnologias não apenas materializam o que o motor do imaginário impulsionou, como também criam novos conteúdos para a sua bacia semântica, o seu reservatório. Ou seja, ela imagina o real que é imaginado por meio dela. Traduzindo para nosso estudo: o herói é forjado pela tecnologia do imaginário que ao mesmo tempo cria um imaginário para esse herói, que também cria o imaginário para ele mesmo.

A Gazeta do Povo é a tecnologia do imaginário que operacionaliza o herói Moro em suas páginas (impressas e *online*). Como fruto dessa equação temos o personagem que o país conheceu e que neste estudo está descrito sob a ideia da jornada do herói. Na próxima seção apresentamos e pormenorizamos o que são as tecnologias do imaginário, tecnologia essa que faz com que (SILVA, 2018) o jornalista não perceba, na pressa de sua labuta diária, que suas linhas não perecem na postagem seguinte, mas ao contrário, se tornam objeto de arquivos no mesmo dia em que perde atualidade: "Os jornais do passado continuam, no silêncio dos arquivos, a gritar 'extra, extra' e a iluminar, na obscuridade das encadernações, aquilo que, com a passagem de anos, se torna imprescindível compreender" (SILVA, 2018, p. 13).

TECNOLOGIAS DO IMAGINÁRIO

O imaginário se expressa por meio de suas tecnologias e estas estabelecem "laço social" e são o principal mecanismo de produção simbólica (SILVA, 2012). Esse laço serve de cimento à vida em sociedade. Porém, este só se atualiza pela força de valores partilhados em comum. Nesse sentido pode-se pensar também na cultura, embora esta seja mais ampla que o imaginário (SILVA, 2012). A cultura[73] aqui se aproxima do imaginário enquanto significados comuns, o produto de todo um povo, que se constituem na vida, feitos e refeitos (WILLIAMS, 1958, p. 5). São significados comuns, expressos na e pela cultura e especialmente de "um estado de espírito, transfigurador" (MAFFESOLI, 2001, p. 75). A cultura contém uma parte de imaginário (MAFFESOLI, 2001), mas ela não se reduz a ele, é mais ampla e, por outro lado, o imaginário não se reduz à cultura, tendo certa autonomia. A cultura é um conjunto de elementos e fenômenos passíveis de descrição (MAFFESOLI, 2001), já o imaginário, além disso, tem algo de imponderável, sendo o estado de espírito que caracteriza um povo. "A cultura é um dado objetivo; o imaginário, a subjetividade compacta e inexorável. A objetividade da cultura diluiu-se nas águas pesadas da atmosfera imaginal [...] O imaginário toma forma material e deforma o espiritual. Dá-lhe carne e sangue" (SILVA, 2012, p. 16). Maffesoli é ainda mais preciso na distinção entre cultura e imaginário:

> A cultura pode ser identificada de forma precisa, seja por meio das grandes obras da cultura, no sentido restrito do termo, literatura, música ou, no sentido amplo, antropológico, os fatos da vida cotidiana, as formas de

---

[73] Embora não haja equivalência, cultura e imaginário coabitam, justapõem-se e coexistem (SILVA, 2012, p. 18).

organização de uma sociedade, os costumes, as maneiras de vestir-se, de produzir, etc. O imaginário permanece uma dimensão ambiental, uma matriz, uma atmosfera, aquilo que Walter Benjamin chama de aura. O imaginário é uma força social de ordem espiritual, uma construção mental, que se mantém ambígua, perceptível, mas não quantificável (MAFFESOLI, 2001, p. 75).

No imaginário, a cópia estimula um imaginário em que "a perda transforma-se em ganho, o desencantamento, em encantamento, a banalização, em reinvestimento na origem" (SILVA, 2012, p. 65). Nesse caso, não há contradição entre o original e a cópia, pois cultua-se um (original) através do outro (cópia).

As tecnologias do imaginário são, portanto, dispositivos de visões de mundo, de produção de mitos, porém jamais imposições. Na "sociedade do espetáculo" (DEBORD, 1997) onde tudo é mediado por tecnologias de contato, as tecnologias do imaginário buscam mais do que a informação: trabalham pela povoação do universo mental com sendo um território de sensações fundamentais (SILVA, 2012). "E o que as tecnologias podem fazer pelos imaginários? Ajudá-los a olhar. Cada um imagina o que vê e vê o que imagina (...) o olho contempla a lente espiar o mundo e imagina o que vê" (SILVA, 2012, p. 70).

Para quem se atreve a pesquisar as tecnologias do imaginário, este precisa estar "à altura do cotidiano" (WEBER, 2010) e então, para além de demonstrar isso ou aquilo, deve fazer emergir, desvendar, expor à luz (SILVA, 2012). O pesquisador das tecnologias do imaginário deve saber narrar (e o fazer bem) o presente, já que não pode provar o que aconteceu no passado[74], nem prever o futuro (SILVA, 2012).

---

[74] Porém, vale destacar que de acordo com Williams seria até possível acessar o passado por meio da estrutura de sentimentos posto que "uma 'estrutura de sentimento' é uma hipótese cultural derivada na prática de tentativas de compreender esses elementos e suas ligações, numa geração ou período, e

O jornal, como meio de comunicação, pode ser considerado como um receptor e emissor de informação na medida em que este recebe as informações sobre os fatos através de atores sociais que podem ser o estado, as agências de notícias e a sociedade como um todo. Opostamente, são também emissores quando, após receberem estas informações, a transformam em matérias jornalísticas e as devolvem para a sociedade (MELECH, 2016). Kientz (1973) desenvolveu uma ideia sobre esse processo mostrando que os órgãos de imprensa são "caixas escuras", pois o tratamento dado aos fatos não é observável "nem mesmo por um observador que esteja dentro da redação":

> Para saber o que se passa no interior desta caixa escura, o observador só tem controle sobre o que entra (o comunicado) e sobre o que sai (o artigo). Se a mensagem emitida for idêntica à mensagem recebida, a caixa comporta-se como um canal que assegura a tradução "fiel" da mensagem. Se a mensagem sair alterada, é porque foi modificada durante o seu percurso no interior da caixa escura. A análise comparativa de conteúdo entre o que entra e o sai permite elucidar as alterações sofridas no intervalo e reconstruir, por via dedutiva, o esquema interno da caixa escura, destacar os processos de acondicionamento das mensagens (KIENTZ 1973, p. 79).

É justamente nessa caixa escura que o imaginário vai operar e o jornalismo utiliza-se das tecnologias para que o público conheça o conteúdo das reportagens e matérias que narram o cotidiano das cidades mundo afora e "a cobertura jornalística deve ser um descobrimento" (SILVA, 2012, p. 102-103), sendo necessário cobrir para descobrir, pois fora disso o que há é o encobrimento.

---

que deve sempre retornar, interativamente, a essa evidência" (WILLIAMS, 1979, p. 135).

> O uso das técnicas jornalísticas interpela o acontecimento e o sujeito desse acontecimento, assim como a extração de minério provoca a natureza. Não há neutralidade. O jornalismo não é como o moinho que apenas abre suas pás ao vento sem afetar o meio ambiente, mas como o explosivo que abre as entranhas da terra para ter acesso ao seu patrimônio (SILVA, 2012, p. 104).

O jornalista pode produzir assim "um texto sem contexto e se a noção de ideologia ganha cada vez mais uma carga pejorativa, como encobrimento de um 'real', o imaginário assume cada vez mais uma aura, como descobrimento de um surreal" (SILVA, 2017, p. 34).

Na pós-modernidade a mídia convencional está cada vez mais perdendo seu protagonismo na sua profissão de fé de seduzir seu público – e as tecnologias do imaginário são as da sedução (SILVA, 2012), que implica a adesão do destinatário. O papel que a mídia desempenhou um dia hoje está sendo reconstituído nas mídias sociais e, para os franceses, a televisão por exemplo, não desempenha mais nenhum papel (MAFFESOLI, 2017).

O imaginário, portanto, quando realiza a cobertura de eventos, confunde o exato com a verdade (SILVA, 2012) porque com frequência o que é dito num jornal é exato, mas não é a verdade, pois o jornalismo produz versões (e esse produzir é no sentido heideggeriano, que é o de passar do estado escondido ao não escondido). O que o jornalista faz então é revelar e, sendo assim, estaria, pois, estabelecida a essência do jornalismo – "e a técnica jornalística, em sua fase pós-industrial, espetacular, funciona como uma provocação e nisso a notícia torna-se entretenimento, indo da notícia ao espetáculo" (SILVA, 2012, p. 105).

O jornalismo como técnica modula a percepção da realidade e, consequentemente, os modos de sentir e agir. A técnica jornalística então evidencia elementos na narrativa capazes de atrair e manter a atenção do leitor/internauta. A narrativa contém dados, estatísticas, argumentos e estratégias calcadas na razão e que credibilizam as afirmações formuladas. Mas ainda assim, o jornalismo provoca sensações e pode suscitar medos, expectativas, alívio, entre outros sentimentos. Podemos mudar de opinião, relativizar crenças e valores, ficar impactados emocionalmente e modificar nossa conduta em virtude do que se anuncia. O jornalismo procura simplificar a complexidade do mundo para torná-lo inteligível. Dividir o mundo em dois polos opostos é uma das estratégias de simplificação do discurso. A narrativa jornalística tende a ser antinômica, reduzindo a complexidade dos fenômenos à polarização simplificadora (GOMES, 2016). Nessa toada, o jornalismo pode burilar heróis e vilões pavimentando em seu público e para quem dele se nutrir, um modelo referencial de salvador da pátria, como é o caso do herói deste estudo.

Podemos também pensar que a tecnologia do imaginário opera respeitando e potencializando também o ritmo, no sentido de fluxo, de equilíbrio, que nas palavras de Maffesoli (2011, p. 136) "é o fluxo com uma direção garantida (...) o que limita, canaliza, mas ao mesmo tempo, faz a vida ser o que ela é". No nosso caso, o herói Moro foi forjado pela imprensa porque os jornalistas, os "operários" da materialização da bacia semântica o fizeram envoltos ao fluxo posto que sintonizados com a atmosfera social da época (e mais especificamente ainda os profissionais da Gazeta do Povo da cidade de Curitiba, onde Moro teria um status de semi--deus). Conforme Maffesoli (2011, p. 139-140):

> enquanto a relação com o outro é determinada pelo futuro, enquanto só se concebem as relações, sejam quais

forem, em função de um objetivo a ser atingido em conjunto – "olhar juntos para o mesmo ponto", conforme o clichê – o ritmo, individual ou social importa pouco (...). Em contrapartida, a partir do momento em que a relação ao outro é determinada pelo presente, prevalece a busca do equilíbrio pessoal, o qual, por contágio, tentará promover o equilíbrio coletivo através da adaptação dos ritmos corporais e emocionais. A noção de sintonização tenta traduzir esse conjunto "musical".

Ou seja, os jornalistas da Gazeta do Povo entraram na dança sob e com o ritmo daquele momento presente, qual seja, o de pensar Moro como herói. O imaginário da época conquistou por adesão (conforme Silva, 2012) corações e mentes daqueles profissionais. Isso é o que também vamos mostrar por meio da análise do *corpus* mais adiante.

A elevação do juiz Moro como herói por meio da tecnologia do imaginário jornal (impresso ou *online*) procurou referendar, por meio de texto de pretensa neutralidade as ações e intenções do magistrado frente a Operação Lava Jato e outras relacionadas ao seu contexto. O herói Moro não se tornou herói por anúncios pagos em espaço publicitário, mas sim por meio de narrativas que a sociedade legitima como verdadeiras, no caso as do jornal. Por mais que vivamos no tempo da pós-verdade, onde o boato adquire status de verdade para além da própria verdade, o jornalismo ainda goza de credibilidade perante a sociedade, então se uma notícia mostra que o herói é Moro, qual publicidade teria força para provar o contrário?

Para entender isso, e buscar tal compreensão, pretende-se nesse estudo narrar o vivido, desvelar o que está encoberto, retirar o véu, jogar luz sobre a sombra da atmosfera vivida no ano de 2016 com o chamado golpe (para uns) ou *impeachment* (para outros). A melhor maneira, no nosso entendimento, é uma metodologia que consiga extrair do cotidiano aquilo que está submerso e Maffesoli com sua noção de conhecimento comum, na sociologia compreensiva, é quem mais pode contribuir nesse caso. O método escolhido envolve também a abordagem qualitativa com as pesquisas bibliográfica e documental. Tudo isso está apresentado e descrito nos capítulos subsequentes. A análise propriamente dita também está diluída neles de modo que o leitor consiga entender a sequência lógica da exposição do tema. Reiteramos que na sociologia compreensiva, como sendo a do lado de dentro, o pesquisador tem "lugar de fala", ou seja, ele narra aquilo que também o afeta e este estudo, de maneira proposital, aborda o tema do herói a partir do locus de maior enfervescência naquele momento no país: a cidade de Curitiba.

A NOVA CAFARNAUM
(OU REPÚBLICA DE CURITIBA)

Tudo dito, nada feito, fito e deito
(Paulo Leminski)

LeiTE quenTE[75]. Essa é a caricatura do sotaque de uma cidade que não tinha vocação nenhuma para uma capital de Estado, mas que se tornou por obra do primeiro presidente da província do Paraná, o baiano Zacarias de Góis e Vasconcelos. Diversos grupos participaram da formação da capital paranaense, mas os que tiveram maior contribuição para o jeito de ser do curitibano foram os alemães e os poloneses que "influenciaram de forma marcante os hábitos e costumes locais" (PREFEITURA DE CURITIBA, 2017)[76]. O anedotário local inclusive, numa autocrítica ao *curitibano's way of life*, conta que o primeiro, era considerado um povo grosso, de hábitos rústicos e sem papas na língua; já o segundo, vinha de um país

---

[75] A pronúncia bastante marcada do curitibano é, segundo alguns historiadores, derivada da necessidade de os habitantes locais de se fazerem entender pelos imigrantes. Outros especialistas, porém, dizem tratar-se da pronúncia do português antigo. De acordo com a professora de linguística da UFPR Cecília Inês Erthal, "a pronúncia mais ou menos dura é uma espécie de divisão social em Curitiba. A fala mais dura permanece nas populações mais simples e de menor integração com outras regiões. A classe média absorve a pronúncia 'tchi' do norte do Estado e do Rio de Janeiro e, por fim, as classes mais altas mantêm o velho 'leite quente', mas de maneira bem atenuada" (GOVERNO DO PARANÁ, 1994, p. 62).

[76] Outros grupos contribuíram na formação da cidade, incluindo também os japoneses. Disponível em: <http://www.curitiba.pr.gov.br/conteudo/historia-i-migracao/208>. Acesso em: 26 dez. 2017.

bastante sofrido, assolado por diversas guerras ao longo da história e sem nenhum papel relevante na Europa Ocidental. O resultado dessa mistura em Curitiba? O curitibano estereotipado: aquele que não dá bom dia no elevador e que tem hábitos provincianos (dormir cedo, por exemplo) para uma cidade de quase 2 milhões de habitantes[77].

A cidade carece de ícones de proeminência nacional. De lá saíram poucas personalidades do mundo artístico e cultural e dentre elas, cumprindo à risca a vocação de extrema timidez de seus habitantes, fizeram sucesso de igual tamanho no cenário nacional, como Paulo Leminski, escritor e poeta, o escritor Dalton Trevisan, e alguns atores globais (Alexandre Nero, Ary Fontoura, Letícia Sabatella, entre outros). Músicas que cantam a cidade em verso e prosa? Pouquíssimas. "Normal em Curitiba" de Rita Lee traz a ironia no refrão: "Quero ser normal em Curitiba"[78], transmitindo a ideia de que a cidade é tão estranha que é preciso urgentemente voltar ao convencional e que aquela terra impediria tal comportamento. Uma outra, mais sarcástica, consegue traduzir a capital paranaense em termos mais chulos, mas não menos convincentes, ao iniciar com a seguinte assertiva: "Eu gosto de Cu...ritiba (...)", de Carlos Careqa[79]. Ou seja, a cidade é subestimada até por seus próprios filhos (naturais ou radicados, que é o caso de Careqa, que é catarinense de nascimento)!

---

[77] O IBGE estima uma população de 1.917185 pessoas em Curitiba. No censo de 2010 a cidade tinha 1.751.907 habitantes (IBGE, 2018). Disponível em: <https://cidades.ibge.gov.br/brasil/pr/curitiba/panorama>. Acesso em: 04 out. 2018.

[78] Disponível em: <https://www.letras.mus.br/rita-lee/231570/>. Acesso em: 25 dez. 2017.

[79] A letra de "Não dê pipoca ao turista" pode ser conferida em: <https://www.letras.mus.br/carlos-carega/1840634/>. Acesso em: 25. dez, 2017.

A atmosfera na cidade leva a extremos de caricatura de comportamento como os referenciados por essas músicas, mas não é tão distante o imaginário sobre essa cidade e sua idiossincrasia. Como ensina Maffesoli (2011, p. 73):

> Se deve-se dar a César o que é dele, Deus também tem direito à sua parte. Mas se Cesar é uma realidade bem definida, Deus presta-se a interpretações. Com frequência, recorrer a um Deus longínquo é, antes de tudo, uma maneira de escapar à imposição de um senhor bem próximo.

Ou seja: que o que for de Curitiba que fique restrito à cidade; e o que for para o Brasil, que vaze para fora dela, o que não ocorreu exatamente no caso do nosso objeto de estudo. Produto típico curitibano, apesar de berço maringaense, o herói forjado pela imprensa tem o perfil da capital: tímido, de poucos amigos e com inclinações conservadoras. Portanto, tracejar essa nuance é vital para entendermos como de uma cidade sem vocação para locomotiva do Brasil (era a quinta comarca de São Paulo), saiu o maior herói brasileiro de combate à corrupção desde Carlos Lacerda nos idos de 1950 a 1970 ou, mais recentemente, com Joaquim Barbosa[80], juiz do STF responsável pelos casos do Mensalão.

Nesse sentido, esse capítulo tem o objetivo de compreender o processo de construção do herói no seu *habitat* (por meio de análise de reportagens do jornal *Gazeta do Povo*, de Curitiba). Para isso, dividimos a narrativa em duas subseções onde apresentamos na primeira a radiografia da cidade quartel general do nosso herói, Curitiba; e na

---

[80] Consideramos Barbosa uma referência, mas não exatamente um herói. Embora tivesse demonstrado interesse genuíno no combate à corrupção, nenhum político de expressão nacional foi preso ou tivemos grandes manifestações como no caso de Moro.

segunda, analisamos as matérias do jornal Gazeta do Povo à luz do Imaginário e das etapas da jornada do herói em Campbell (2007).

REPÚBLICA DE MUITOS PINHÕES (BREVE RADIOGRAFIA DE UMA CIDADE)

"República de Curitiba, aqui se cumpre a lei[81]". Com essa inscrição, adesivos em carros e diversas camisetas (Cf.

---

[81] Embora não seja o objetivo deste estudo a abordagem semiótica acerca do aprofundamento do *corpus*, vale aqui uma breve observação sobre a assertiva "aqui se cumpre a lei" dos adesivos dos carros. Qual o sentido que dela poderia ser extraído? Será que em algum lugar do país (ou do mundo) não seria algo natural o cumprimento da lei? Vemos que a Curitiba de Moro é aquela onde o surrealismo da inocuidade do signo (*lato sensu*) faz todo o sentido para uma parcela da população (talvez os 75% que votaram em Bolsonaro na cidade). Relendo o adágio do adesivo dos carros (e mote da campanha anticorrupção dos movimentos que a pregam): "Curitiba, aqui se cumpre a lei [para os inimigos, leia-se a esquerda e especificamente os movimentos sociais e o PT]" – em 2016 e até o ano em que este texto é redigido – faz todo o sentido posto que a lei que é cumprida em Curitiba é a que parece não reconhecer o *habeas corpus*, que ignora os requisitos para a prisão preventiva, que pressupõe a condenação a partir de testemunhos sem provas e que, acima de tudo propõe a reforma das leis pautadas por dez medidas contra a (suposta) corrupção invocada pela força tarefa da Lava Jato e por um imaginário de luta contra a corrupção que tomou de assalto a classe média que saiu da caixa de pandora (ou seja, aquela que perdeu a vergonha de assumir características protofascistas que sempre tiveram mas nunca puderam ou tiveram coragem de defender publicamente) aberta pelas manifestações de 2013. Assim, afirmar que em Curitiba "se cumpre a lei" (como se fosse um diferencial competitivo entre as cidades brasileiras) faz todo o sentido no Brasil de 2018 (e o que se vislumbra para os anos seguintes) quando inclusive temos um novo ministro do meio ambiente que é contra acordos de proteção ambiental, um ministro das relações internacionais que é contra acordos multilaterais e que critica a ONU, que a ministra dos direitos humanos afirma que quem deve governar é a igreja e não o Estado e que um ministro da justiça (Moro) é aquele que condenou o adversário do presidente eleito (e que por ele mesmo foi convidado a participar do governo). Dizer o antes considerado óbvio, aparentemente sem sentido, agora (em fins da década de 2010) toma uma nova configuração. Aliás, a história mostra ser possível o insensato fazer sentido em determinados momentos. Quando, por exemplo, no período das negociações para a abolição

anexos) cobriram o peito de pessoas que pareciam orgulhosas por ostentar uma convicção de que estariam contribuindo para a moralização de um país ou a legitimação de uma força capaz de acabar com a corrupção e outros males da nação. Em passeatas, mobilizações e atos públicos bandeiras, faixas, balões e toda uma indumentária mostraram a indignação de uma parcela da população brasileira com a presidente Dilma Rousseff, apontada por muitos como a vilã do momento político em que o país se encontra nos anos de 2015 e 2016[82].

Em meio a um ambiente de assaz animosidade, uma personalidade foi apontada como uma espécie de "justiceiro" tupiniquim. Trata-se do juiz federal Sérgio Fernando Moro, titular da 13ª Vara da Justiça Federal em Curitiba/PR. Nas manifestações a favor do *impeachment* da (ex-)presidente Dilma, o magistrado é sempre referido pelos manifestantes como "aquele que pode proteger o povo de todo o mal". Um adesivo colado nos carros que circulavam na capital paranaense inclusive vinha com a inscrição:

---

da escravatura no país, teve defensor da escravidão afirmando que a mesma era útil para proteger o escravo dele mesmo. O senador Paulino de Sousa ao falar do mal que a abolição poderia causar ao país, afirmou que ela era, entre outras coisas, desumana: "É desumana [a abolição da escravidão] porque deixa expostos à miséria e à morte os inválidos, os enfermos, os velhos, os órfãos e crianças abandonadas da raça que se quer proteger, até hoje nas fazendas a cargo dos proprietários, que hoje arruinados e abandonados pelos trabalhadores válidos, não poderão manter aqueles infelizes por maiores que sejam os impulsos de uma caridade que é conhecida e admirada por todos os que frequentam o interior do país (SILVA, 2018, p. 28)". Quem seria contra a libertação dos escravos por questões humanitárias? Hoje não faria sentido tal assertiva, mas mesmo para aquela época, havia algum interesse que era preciso ser burilado em discursos engenhosos e, de preferência de cunho judaico-cristão para mostrar que até a mais perversa das formas de subjugação humana pudesse ser legitimada. Na Curitiba em que "se cumpre a lei", o clima em ebulição traz novos significados às ideias já batidas e que inaugura tempos estranhos com a nova equipe do presidente eleito Jair Bolsonaro (incluído Moro como Ministro da Justiça).

[82] Dilma foi definitivamente afastada do cargo em 2016.

"Livrai-nos do mal" com a foto do juiz ao lado (Cf. anexos). Um dos vereadores da cidade propôs inclusive até batizar a quadra onde está situada a Justiça Federal (*general quarter* de Sérgio Moro) com o nome de "República de Curitiba" (a iniciativa foi arquivada)[83]. Mas Moro seria produto dessa cidade? Poderíamos dizer que ele representa esse tal recanto do país?

Manifestações como essas só poderiam surgir mesmo em Curitiba. É o *locus* ideal para esse tipo de expressão e a formação e contexto da cidade explica bem o motivo. Curitiba é uma cidade com uma fama contraditória: por um lado é conhecida como capital ecológica, cidade-modelo, padrão europeu (a julgar pelos seus equipamentos urbanísticos e arquitetônicos) e ao mesmo tempo tem a má reputação de ser a casa de pessoas mal-educadas (que não cumprimentam os outros) de tão tímidas e com certa atmosfera provinciana (poucas farmácias por exemplo, ficam abertas 24h como acontece numa capital como São Paulo/SP).

A cidade que em 2018 é o centro político-jurídico do país (alguns juristas de maneira jocosa dizem que existe a Constituição de Curitiba) por conta da Operação Lava Jato e, principalmente do local de custódia do ex-presidente Lula, já nasce sob uma polêmica: onde exatamente ela teria começado?

Curitiba localiza-se a 945 metros do nível do mar e possui 1.917.185 habitantes na estimativa do IBGE para

---

[83] Segundo o então vereador prof. Galdino: "o objetivo do projeto é exaltar o trabalho relacionado à Operação Lava Jato sendo realizado na cidade. 'Temos que dar todo o apoio ao juiz Sergio Moro e aos procuradores, valorizar o trabalho sério deles. Aqui em Curitiba não tem 'o jeitinho' que o Lula sempre teve: aqui mostramos que não tem dindim, nem dó". Disponível em: <https://www.gazetadopovo.com.br/vida-publica/para-homenagear-moro-prof-galdino-propoe-criacao-do-bairro-republica-em-curitiba-2t8wwutrje785mhc7l2ky7nyf>. Acesso em: 17 jun. 2018.

2018. A cidade foi fundada em 19 de março de 1693 (curiosamente a data não é considerado feriado na capital[84]) e no início sua principal atividade econômica era a mineração e a agricultura de subsistência. Entre os séculos XVIII e XIX, a atividade tropeira tomou conta da cidade. Esses tropeiros eram os condutores de gado que viajavam entre Viamão (RS) e Sorocaba (SP), conduzindo gado em direção às Minas Gerais. O longo caminho e as intempéries faziam com que os tropeiros fizessem invernadas, à espera do fim dos invernos rigorosos, em fazendas como as localizadas nos "campos de Curitiba" (PREFEITURA DE CURITIBA, 2018).

Durante décadas historiadores concordavam que Curitiba se formou a partir do bairro Atuba, às margens do rio de mesmo nome, e que era chamada de Vilinha (ou Vila Velha ou até Vila dos Côrtes – nome de uma antiga família povoadora do planalto curitibano). A dúvida era onde exatamente foi o nascimento da hoje República de Curitiba, pois o rio Atuba percorre um longo trajeto, indo de Colombo a São José dos Pinhais. Sobre isso, a obra "Curitiba 300 anos de Memória Oficial e Real"[85] procura esclarecer o imbróglio:

> A resposta só veio em 1972 [curiosamente o ano de nascimento do herói Moro] com a publicação de um trabalho do historiador Julio Moreira. Durante 6 anos

---

[84] O feriado em Curitiba é no dia 08 de setembro, dia de Nossa Senhora da Luz dos Pinhais, padroeira da cidade. É bastante simbólico que o feriado curitibano seja mais em alusão a um motivo religioso que a um histórico, já que mostra muito da inclinação da cidade para o conservadorismo que estamos assinalando nesse estudo e que explica também o surgimento do herói Moro a partir da capital paranaense.

[85] Essa obra é um compêndio do governo do Estado com a participação de diversos autores, mas que não são creditados nos capítulos, apenas como colaboradores na reunião de textos sobre a história da cidade. O livro se encontra disponível na Biblioteca Pública do Paraná.

o historiador pesquisou inúmeros documentos e cartas. Moreira chegou a percorrer a pé, diversas vezes, todo o trajeto do rio Atuba. Um dos documentos mais significativos foi encontrado pelo historiador no cartório do 1º Tabelião de Curitiba num registro de 1778. O documento era uma escritura que comprovava a venda de parte de um campo situado da seguinte maneira "paragem da Vila Velha, entre os rios Bacacheri e Atuba, à mão esquerda do caminho para Paranaguá". Para Júlio Moreira, este registro somado a outros documentos e a pesquisa de campo foram argumentos suficientes para dar as coordenadas do lugar onde existiu a Vilinha. Tudo indicava o bairro do Atuba às margens do rio (...). Em 29 de março de 1972, o prefeito da época, Jaime Lerner, assinou um decreto criando o parque histórico da cidade (GOVERNO DO PARANÁ, 1994, p. 47-48).

A história de Curitiba remonta ao século XVII quando o General Eleodoro Ébano faz a primeira visita ao local onde hoje está a cidade, atravessando a serra de Paranapiacaba (nome antigo da serra do mar). Foi considerado o fundador da cidade[86] e "nos anos de 1648 e 1649 fez inúmeras vistorias no Ribeiro das Pedras, margem esquerda do rio Atuba, no Bairro Alto" (ALMEIDA, 1978, p. 20).

O general foi um homem virtuoso ao se esmerar nas suas diligências pelas águas que cortavam a agora capital paranaense. Hoje em dia seria certamente chamado de "homem de bem" pelos cidadãos curitibanos dados os seus grandes feitos. Sobre isso, remetemo-nos a Aristóteles que, ao abordar a virtude do homem de bem e do bom cidadão, faz uma analogia destes com a viagem num navio:

---

[86] Mesmo Eleodoro Ébano Pereira, de origem portuguesa ser oficialmente considerado o fundador de Curitiba, alguns estudiosos aventam a possibilidade de ter sido Heleodoro Eobanos, de origem alemã (GOVERNO DO PARANÁ, 1994).

> Pode-se dizer do cidadão o que se diz de qualquer um dos indivíduos que viajam a bordo de um navio: que ele é membro de uma sociedade. Mas, entre todos esses homens que navegam juntos, e que têm um valor diferente, visto que um é remador, outro piloto, este encarregado da proa, aquele exercendo, sob outra denominação, um cargo semelhante – é evidente que se poderá designar, por uma definição rigorosa, a função própria de cada um: no entanto, haverá também alguma definição geral aplicável a todos, porque a salvação da equipagem é ocupação de todos e o que todos desejam igualmente (ARISTÓTELES, 2006, p.77).

Ou seja, ancorada nessa ideia, todos devem idealmente concorrer para o bem comum da cidade, mas é certo que uns parecem mais iguais que os outros e em Curitiba isso não foi diferente. O filósofo grego ainda destaca a expressão homem de bem ao cravar (ARISTÓTELES, 2006, p. 77): "Se existem diversas formas de governo, não é possível que a virtude do bom cidadão seja uma e perfeita. Por outro lado, afirma-se que é a virtude perfeita que caracteriza o homem de bem". Será que para se construir uma cidade perfeita então é preciso apenas dessas tais pessoas de bem? Aristóteles esclarece, para que não paire nenhuma dúvida:

> Se é impossível que a cidade se componha somente de homens virtuosos, e se é preciso que cada um execute bem a tarefa que lhe é confiada (o que só pode vir da virtude, pois que os cidadãos não poderão ser semelhantes em tudo), então o meio de ser a virtude do bom cidadão a mesma que a do homem de bem, e por conseguinte uma única, consiste em que todos, na cidade perfeita, tenham a virtude do bom cidadão, visto que é uma condição necessária da república perfeita (ARISTÓTELES, 2006, p. 77).

Na contramão de Aristóteles assim não é sem motivo que a expressão "homens de bem" ou "pessoas de bem" é utilizada correntemente na cidade de Curitiba nos dias atuais[87]. Os homens de bem são uma variação do termo homens-bons, que são aqueles (KATO, 2011) que de alguma forma se distinguiam dos demais. "Na linguagem dos documentos das Câmaras oitocentistas essa terminologia medieval ainda era utilizada para referir os representantes das elites locais" (KATO, 2011, p. 14). O homem bom de Curitiba era aquele que era homem "de posses", que tinha alguma patente nas milícias, que ocupava algum cargo na Câmara ou pertencia a alguma ordem religiosa. Esses homens compunham todas as empresas e comércios da época e muitos deles eram donos de jornais inclusive.

A imprensa curitibana teve início em 1854 com o lançamento do semanário "O Dezenove de Dezembro" e já nasce ligado ao poder do governo de então. Em 1861 o então presidente da província do Paraná, José Francisco Cardoso exigiu de Cândido Lopes (tipógrafo de Niterói/RJ que trouxe a tipografia para a futura capital paranaense) duas colunas cativas para publicação da opinião do governo no sentido de combater as fortes críticas à sua administração, mas o fluminense não aceitou tal proposta e perdeu a verba de publicação oficial. A partir daí nasceu o primeiro concorrente do jornal: "O Correio Official" sob a direção de Joaquim de Sá Ribas (GOVERNO DO PARANÁ, 1994). A cidade teria ainda os jornais A Província do Paraná, em 1876, de inclinação

---

[87] Essa expressão sempre foi comum, mas tornou-se mais usual quando do recrudescimento da polarização coxinhas x mortadelas desde os protestos de 2013 até 2018. Os homens ou pessoas de bem, seriam aqueles identificados com posições conservadoras e ideologicamente alinhados ao espectro político à direita.

liberal e A Gazeta Paranaense, conservadora. Em 1886 Emiliano Perneta, Rocha Pombo e Nestor Victor lançam o jornal A República. Em 1890 o Dezenove de Dezembro chega ao fim e sua última edição traz o decreto 88 de 23 de dezembro de 1889 que limitava a liberdade de imprensa e, abaixo do texto, um comentário da direção do jornal sobre a impossibilidade de se praticar uma imprensa livre com aquela nova lei. Em protesto, todas as outras páginas vieram em branco.

A Gazeta do Povo iniciou suas atividades no ano de 1919 quando Benjamin Lins e De Plácido e Silva, lançam a primeira edição do jornal. O intuito era ser um veículo de comunicação eminentemente paranaense, com foco nas notícias locais, cidade e região inclusos.

Após a apresentação de grande parte do *corpus* de pesquisa, na seção seguinte detalhamos melhor o perfil do herói no contexto de seu *think tank,* a cidade de Curitiba.

A Curitiba de Moro

Belém é a cidade onde Jesus nasceu. É um lugar modesto e insignificante mas o antigo testamento (A BIBLIA SAGRADA, 1969) já apontava o lugar na história daquele pedaço de terra: "E tu, Belém Efrata, posto que pequena entre os milhares de Judá, de ti me sairá o que governará em Israel, e cujas saídas são desde os tempos antigos, desde os dias da antiguidade" (MIQUEIAS, 5:2 in: BÍBLIA SAGRADA, 1969). Mas não foi lá que Jesus iniciou seu ministério, mas sim a pouco mais de 200 km de distância dali, em Cafarnaum. Conforme as Escrituras, a cidade era conhecida como sendo a de Jesus: "E entrando Jesus num barco, passou para a outra banda, e chegou a sua cidade. E eis que lhe trouxeram um paralítico deitado numa cama" (MATEUS, 9-1, in: BÍBLIA SAGRADA, 1969).

Assim no nosso paralelismo com o messianismo do herói, do salvador (afinal: "Moro: livrai-nos do mal") a Belém do magistrado é Maringá, cidade localizada ao norte do estado do Paraná e popularmente conhecida como cidade-canção[88]; mas sua Cafarnaum é Curitiba e é lá que o magistrado, elevado ao posto de herói pela mídia, vai exercer o seu ministério[89].

O lugar de nascimento do herói (ou a terra remota de exílio de onde ele retorna para a realização da sua missão) é o ponto central ou o centro do mundo e da (CAMPBELL, 2007, p. 322) "mesma forma como vêm ondulações de uma fonte subterrânea, assim também as formas do universo se expandem em círculos a partir dessa fonte". A escolha de Curitiba e seu principal jornal como *corpus* de análise deste estudo tem também, nos termos de Campbell (2007), sua razão de ser: o herói magistrado têm na capital paranaense um cenário imaginal idílico tal qual no mito dos Yakuti da Sibéria, que começa dessa forma:

> Acima das amplas e imóveis profundezas, abaixo das nove esferas e dos sete níveis do céu, no ponto central, o Centro do Mundo, o lugar mais calmo da terra, onde a

---

[88] O povoamento de Maringá iniciou-se por volta de 1938, mas foi apenas a partir dos primeiros anos da década de 1940, que começaram a ser erguidas as primeiras edificações propriamente urbanas, na localidade conhecida mais tarde por Maringá Velho. Eram umas poucas e bastante rústicas construções de madeira de cunho provisório. Destinava-se fundamentalmente, organizar na região um polo mínimo para o assentamento dos numerosos migrantes que afluíam para essa nova terra (PREFEITURA DE MARINGA, 2018).

[89] Não nos propusemos a estudar a construção do herói Moro por meio do principal jornal de Maringá, O Diário, pela baixa representatividade deste no cenário nacional ou mesmo regional. Pode ser a proposta de um estudo paralelo tal abordagem que poderá ser feita em momento oportuno futuramente.

luz não mingua e o sol não se põe, onde reina o eterno verão e o galo canta sem parar, ali o Jovem Branco alcançou a consciência (CAMPBELL, 2007, p. 322).

Campbell (2007) conta então a saga deste jovem que põe-se a caminho para descobrir o lugar em que estava e seu aspecto. Na parte leste, só podia enxergar um vasto campo deserto onde no meio dele erguia-se uma árvore gigante. "A resina dessa árvore era transparente e de doce odor (...). A copa dessa árvore se elevava até os sete pisos do céu e servia de posto de parada do Deus Altíssimo, Yrynai-tojon" (CAMPBELL, 2007, p. 322). Ao olhar para o sul, o Jovem Branco avistou o calmo Lago de Leite "que nenhum vento jamais encrespa" (ibidem, p. 323); já ao norte havia uma floresta sombria onde havia todo tipo de animal. A oeste, estendia-se uma moita de arbustos e além dela uma floresta de altos abetos. Esse então era o mundo daquele jovem, no entanto, cansado de ficar sozinho ele pediu à gigantesca árvore da vida:

> "Honorável e Excelsa Senhora, Mãe da minha Árvore e da minha Morada", orou ele; "tudo o que existe forma pares e propaga descendentes, mas eu sou só. Eis que desejo viajar e buscar uma esposa da minha própria espécie, quero conhecer homens – viver de acordo com os modos dos homens. Não me negueis essa graça, imploro humildemente. Curvo a cabeça e dobro os joelhos (CAMPBELL, 2007, p. 323).

Assim orou o Jovem Branco do mito siberiano e aí (CAMPBELL, 2007), das raízes da árvore emergiu uma mulher de meia-idade, de olhar severo, cabelos ao vento e torso desnudo que ofereceu seu leite ao jovem que o sugou em seu seio e então sentiu sua força centuplicada. Então a deusa lhe prometeu a felicidade e o abençoou de forma que água, fogo, ferro ou qualquer outra coisa jamais lhe pudesse machucar[90]. "Do ponto de vista umbilical, o herói parte para realizar seu destino" (CAMPBELL, 2007, p. 323).

Após essa introdução sobre a importância do local de nascimento do herói, contamos nessa seção a história do magistrado paranaense tangenciando a mesma com o perfil da capital da República de Curitiba.

Moro nasceu numa família de classe média em Maringá, norte pioneiro do estado do Paraná, é descendente de imigrantes italianos, filho de Odete Starke Moro e Dalton Áureo Moro (1934-2005). No final da década de 1960 o casal se mudou para Maringá convidado por um cunhado dela, Neumar Godoy, fundador e reitor da Universidade Estadual de Maringá (UEM) – criada no primeiro ato do coronel Jarbas Passarinho como ministro da Educação do general Emílio Médici, em 6 de novembro de 1969 (OLIVEIRA et al, 2017). Os dois se conheceram no Colégio Estadual Gastão Vidigal, ele lecionando geografia e ela português. O colégio se tornaria o embrião da UEM, da qual Dalton foi um dos fundadores.

Moro possui os títulos de mestrado e doutorado (feito em dois anos[91]) em Direito pela Universidade Federal do Paraná. Sua carreira como juiz federal se inicia em 1996. Até a operação do Banestado ele era um juiz de província, com no máximo um ou outro espaço na mídia local. O

---

[90] Neste trecho fazemos uma alusão com o encontro com o mestre, o auxílio sobre-natural nos termos de Campbell (2007), e a ajuda que o herói Moro teve de Rosa Weber, então ministra do STF a quem o juiz federal auxiliou na investigação do Banestado. A magistrada é esta deusa que promete e dá a força que Moro, então juiz de província precisava para, de seu exílio (em Brasília) voltar àquela terra do mito siberiano (Curitiba) e então de lá exercer seu chamado.

[91] Os dados podem ser conferidos no próprio currículo acadêmico do magistrado por meio do link: <http://lattes.cnpq.br/9501542333009468>. Acesso em: 22 mai. 2018.

ponto de virada na sua carreira ou onde ele vai se instruir com o sapo mágico do rio (CAMPBELL), é quando da sua estada como braço direito da ex-ministra Rosa Weber em Brasília. A partir de lá, ele volta ao seu local de origem e começa sua missão, qual seja, comandar a Operação Lava Jato, e ser o maior ícone de combate à corrupção das últimas décadas.

O juiz não conseguiu isso sozinho, como um perfeito *self-made man*. Vital para essa conquista toda foi sua teia de relações no meio jurídico, a começar pelo seu casamento com uma legítima representante da oligarquia paranaense, a advogada Rosangela Wolff Moro. O magistrado é parente do ex-desembargador Hildebrando Moro e sua esposa tem dois desembargadores na família: Haroldo Bernardo da Silva Wolff e Fernando Paulino da Silva Wolff Filho (OLIVEIRA, 2017). Entender essa teia de relações, não só de Moro, mas da equipe da Lava Jato é essencial para o desvelamento do poder que o magistrado conquistou no Paraná e dele para o país inteiro.

> Não se pode compreender, portanto, a "elite da Lava-Jato" sem compreender a rede de relações sociais, profissionais, políticas e ideológicas que constituem estes agentes. Tais agentes não podem ser compreendidos dissociados de suas trajetórias e das trajetórias de seus familiares. Assim como não podem ser analisados de forma isolada, como indivíduos abstratos, que agem de acordo com o que "diz a lei". (..) Este seleto grupo de indivíduos, os operadores da Lava-Jato e do Ministério Temer, forma parte do 1% mais rico no Brasil e muitos até mesmo do 0,1% mais rico em termos de rendas. (OLIVEIRA et al, 2017, p.02).

Ou seja, é o imaginário e a visão de mundo desses agentes (e aqui especialmente o juiz Moro) que vai realizar o imaginado porque estão todos sob "as leis" do reservatório e motor do imaginário (SILVA, 2012), já que

> em relação à Lava-Jato com procuradores e policiais federais quase sempre advindos de famílias em que pais e familiares atuaram e/ou atuam no sistema de justiça, muitos no período da última ditadura militar, portanto, pertencentes, a certa "dinastia jurídica" (OLIVEIRA et al, 2017, p. 4)

Curitiba reproduz, ainda nos dias atuais o que o sociólogo Jessé Souza defende em sua obra *A elite do Atraso: da escravidão à Lava Jato* (2017), qual seja, a existência do patriarcalismo familial que em linhas gerais assinala que desde os tempos do Brasil colônia os senhores de escravos exerciam poderes amplos, gerais e irrestritos, tanto dentro de sua casa quanto ao redor dela. Não havia controle externo, e numa sociedade que se forma sem esse tipo de controle, tudo é possível. É o que aconteceu na capital paranaense: famílias interligadas por relações de poder o exerceram (e continuam a fazê-lo) sem que sejam questionados seus métodos. Nesse contexto, Moro é fruto dessa teia.

Nesse sentido, a cidade de Curitiba é um berço oligárquico que forjou também a instalação de uma mídia que reproduz preconceitos além de aspirações por determinadas ideias, que no caso, seriam as mais conservadoras.

O jornalista Hélio de Freitas Puglielli (GOVERNO DO PARANÁ, 1994) destaca o "homo curitibanus" como aquele ser reservado e frio, porém afetuoso e leal, justificando assim seu argumento: "(...) depois de rompida a inicial barragem de "gelo", o curitibano típico herdou dos tropeiros e dos imigrantes um sentido austero de vida, sem pompas e fausto. O que não significa que o espírito curitibano não seja rico e profundo" (GOVERNO DO

PARANÁ, 1994, p. 01-02). Pergunta-se então qual seja esse espírito do habitante (não só do natural de) da cidade de Curitiba, posto que a herança familiar na camada de poder jurídica da cidade conserva algo distante do que se pode chamar propriamente "espiritual", *stricto sensu*. O autor, ao tecer loas aos seus conterrâneos ainda assevera:

> o protótipo do curitibano parece rígido e inflexível como o pinheiro, conserva alguma algidez como a dos cristais e geada, o perfume de suas emoções é discreto como a fragrância de resina da "araucária angustifólia". Podem ser defeitos ou virtudes, conforme os gabaritos que forem utilizados na avaliação (GOVERNO DO PARANÁ, 1994, p. 02).

Difícil encontrar perfume nessa genealogia (o mais provável é se deparar com um odor fétido de naftalina oligárquica provinciana oitocentista) de raízes conservadoras e por quaisquer ângulos de análise não se poderia deixar de fora o ambiente, a atmosfera reacionária que sempre "pairou" na cidade desde seus tempos mais remotos. Em Curitiba, a mídia que começa a surgir o faz dentro da esfera da (re)produção de visões de mundo próprias daquele mundo pequeno, provinciano, quartacomarquista.

Curitiba seria o local mais apropriado para que a Operação Lava Jato acontecesse porque a cidade seria o *locus* perfeito de exemplo e demonstração empírica do culturalismo[92] (SOUZA, 2017) tupiniquim. Só mesmo da

---

[92] Jessé Souza em A Elite do Atraso: da Escravidão à Lava Jato coloca em discussão a noção e culturalismo em oposição ao racismo. O primeiro seria o estoque cultural herdado de um povo, e o valor disso se expressaria nas virtudes do espírito; já o segundo é o paradigma de que os seres humanos de cor de pele mais clara (e determinados fenótipos característicos) seriam melhores do que os de cor escura. De acordo com o autor, o culturalismo começa a se fazer presente na narrativa de justificativa dos poderes dos povos desde os anos 1920. Assim, essa teoria se tornou um senso comum nas ciências sociais

capital mais fria do país é que poderia sair um representante legítimo do Brasil europeizado, recheado e imbuído dos valores do espírito! Da mesma turma do herói Moro podemos incluir seus colegas lavajatenses Deltan Dallagnol e Carlos Fernando Lima nessa analogia.

Na legitimação de Moro como herói (e isto aparece nos textos de reportagens, matérias e artigos de opinião publicados na Gazeta do Povo) é destacado veladamente o fato de o magistrado ter merecido o lugar em que está e, dessa forma, contra tal valor meritocrático, não se poderia contestar suas qualidades (estaria aí um dos grandes argumentos para a construção da persona do juiz que cai como mel na boca da classe média). Moro então era o personagem herói perfeito para emulação da mídia local a partir de Curitiba para o Brasil inteiro (e deste para o mundo).

Em que medida a mídia que forjou o herói Moro a partir de Curitiba estaria colonizada pelo imaginário do momento histórico desde as manifestações de junho de 2013? A elevação de Moro como herói vinda da capital paranaense com efeito concederia àqueles de direito (os descendentes de europeus e, portanto, detentores dos

---

no começo do século passado e estaria no bojo da formação da ideia de nação perfeita dos Estados Unidos para o mundo. Dessa forma, para Souza (2018), haveria um racismo culturalista: "Onde reside o racismo implícito do culturalismo? Ora, precisamente no aspecto principal de todo racismo, que é a separação ontológica entre seres humanos de primeira classe [aqueles que cultivam os valores do espírito: atividades intelectuais em geral] e os de segunda classe [os que praticam os trabalhos braçais – e, portanto, cultivam os valores do corpo – físicos, musculares, ou seja aqueles que praticam atividades como pedreiro, pintor, doméstica, entre outras]. Nesse contexto, por exemplo os EUA e a Europa seriam lugares de seres superiores aos africanos e latino americanos porque os primeiros pautariam suas vidas pelas atividades intelectualizadas e, portanto, dominantes, e os últimos às braçais, típicas dos dominados. A razão pela qual esses dominados obedeceriam aos dominantes sem quaisquer resistências? A noção de meritocracia, ou seja, no exemplo das privatizações o pensamento do tipo "entregar a Petrobrás para os estrangeiros é melhor que deixá-la para nossos políticos corruptos" (SOUZA, 2017, p. 19).

valores do espírito, conforme Souza, 2018) o sentimento de redenção de uma nação com complexo de vira-lata[93] e presa aos atributos do corpo, posto que animalizados (nos termos de Souza, 2018).

O percurso do herói Moro pode encontrar receptividade também na ideia de Simmel (2005) sobre o ar *blasé* que as pessoas das grandes cidades ostentam (como forma inclusive de sobrevivência à vida urbana).

> A incapacidade, que assim se origina, de reagir aos novos estímulos com uma energia que lhes seja adequada é precisamente aquele caráter blasé, que na verdade se vê em todo filho da cidade grande, em comparação com as crianças de meios mais tranquilos e com menos variações. (SIMMEL, 2005, p. 581).

Nesse contexto, ao oferecer uma narrativa do imaginário do herói aos leitores, o jornal contribui para essa escapatória do cidadão urbano que vai construindo em seu próprio repositório de imagens e ideias a figura do juiz herói. Dessa forma, o periódico contribui para a reificação de Moro como mito (DURAND, 2012) organizando o mundo, instituindo relações sociais e servindo de modelo de conduta para os indivíduos.

> Entenderemos por mito um sistema dinâmico de símbolos, arquétipos e esquemas, sistema dinâmico que, sob o impulso de um esquema, tende a compor-se em narrativa. O mito já é um esboço de racionalização, dado que utiliza o fio do discurso, no qual os símbolos se resolvem em palavras e os arquétipos em ideias (DURAND, 2012, p. 63).

---

[93] Complexo de vira-lata é uma expressão cunhada pelo dramaturgo Nelson Rodrigues que significa que o brasileiro sempre se sentiu inferior aos seus irmãos cidadãos de outros países, em especial os do chamado mundo desenvolvido, incluindo aí EUA e os do continente europeu em geral.

Sendo assim, as reportagens sobre Moro nas matérias analisadas pela Gazeta do Povo trazem a figura do juiz como herói numa alegoria a um dos cantos a Dionísio, o ditirambo, que narra momentos alegres e tristes do deus, do qual resulta a tragédia[94], "representação viva feita por atores que narrava os fatos acontecidos no plano mítico e que, problematizando a situação do herói, discutia os valores fundamentais da existência humana." (SANTOS, 2005, p. 42).

O herói Moro faz seus milagres a partir de Curitiba, não exatamente para a cidade, embora haja repercussões na capital paranaense e esses feitos tomem corpo e forma a partir de um imaginário de moralidade, civilidade e "europeicidade" advindos da "Curitiba perdida" dos anos 1990, aquela que foi modelo de tudo isso para o Brasil. Moro na verdade estaria retomando para a cidade o orgulho que a década de 1990 viveu: o de uma cidade modelo que é casa e base de cidadãos do mesmo nível. O próprio adesivo que envolve os carros e até camisetas "República de Curitiba: aqui se cumpre a lei" (Cf. anexos) é a expressão mais bem acabada desse imaginário e o juiz Moro e sua Liga da Justiça, o braço operacional que materializa essa ideia.

Nesse sentido, destacamos o imaginário como reservatório e motor (SILVA, 2012) onde o primeiro inspira o segundo a agir. Assim, o herói é a tradução do imaginário de uma época que pode até ser compreendida à luz de Brecht para quem a memória é filha do tempo. Portanto, é esse o escopo do estudo e visada aqui proposta.

---

[94] "Tragédia" teria origem em *tragoidia*, que significa "canto do bode" (SANTOS, 2005). E Aristóteles, ao estudar o comportamento do público, confere às tragédias a função catártica (do grego *katarsis*) que significa a purgação das emoções dos espectadores que aliviam suas dores assistindo ao sofrimento do herói imposto pelo destino (GOMES, 2016).

Na capital paranaense a Gazeta do Povo publicou diversas reportagens sobre o juiz Moro em 2016, muitas delas foram capa, outras, parte de cadernos e ainda uma boa parte como pertencente ao chapéu da reportagem. Nesse sentido, nossa intenção é analisar as matérias sob a perspectiva dos estágios da Jornada do Herói em Campbell (2007) com o fito de mostrar que o jornal cumpriu tal jornada (mesmo sem o saber) em uma ou até mais de seus estágios e etapas; e em seguida materializar a empiria (como forma de cumprimento do objetivo principal deste estudo) na análise das matérias sobre Moro publicadas nos seguintes períodos temáticos: a) quando da divulgação da gravação da conversa entre os ex-presidentes Lula e Dilma; b) na votação do *impeachment* na Câmara dos Deputados; c) na votação do *impeachment* no Senado Federal (que cassou definitivamente o mandato da ex-presidente Dilma); d) na divulgação da sentença condenatória do ex-presidente Lula; e) na confirmação da sentença de Lula no TRF-4; f) e quando da prisão do ex-presidente Lula.

Assim, nos propomos na subseção seguinte, admitindo (SILVA, 2012, p.83) "o verdadeiro papel do pesquisador de imaginários narrar desde dentro", o que, nas palavras de Silva (2012, p. 83-84) assume a seguinte postura:

> Trata-se de um narrador implicado, mas não onisciente. Narra o pouco que sabe. Tenta narrar o que não sabe por meio das vozes dos atores envolvidos na trama em construção. Entra no grupo ou na vida do indivíduo-objeto para situar o foco narrativo (...). A situação narrativa é sempre dialógica.

E é imbuído deste "desenho metodológico" que fazemos a análise das matérias escolhidas. O texto busca desvelar o encoberto numa proposta dialógica, sugerindo ao leitor sempre (se) questionar junto com o pesquisador as nuances das reportagens jornalísticas do *corpus* escolhido.

DESVELANDO A JORNADA DO HERÓI MORO NA GAZETA DO POVO

Curitiba vive desde 2016 um *revival* da década de 1990 com a eleição do ex-prefeito Rafael Grecca para um retorno à prefeitura depois de mais de 20 anos longe do poder local. A eleição só foi possível porque o político fez uma aliança com o então governador Beto Richa. Nem mesmo a frase "quando carreguei um mendigo no carro, quase vomitei" foi suficiente para impedir sua eleição, o que mostra que a cidade não se importa em eleger pessoas insensíveis às mazelas sociais pois o mais importante na eleição de 2016 era ser contra a corrupção e a favor da Lava Jato.

Na ótica de Jessé Souza (2017), os descendentes de europeus seriam superiores aos ameríndios e africanos. Curitiba, como vimos, tem grande composição de sua população, e principalmente elite, de italianos, alemães e ucranianos, além de outros grupos europeus. Um herói brasileiro só poderia ter legitimidade se tivesse tal ascendência, pois seria muito difícil alguém conquistar tal posição vindo da ralé da sociedade. Exceto no esporte ou talvez com o jurista negro Joaquim Barbosa, o herói saído das hostes das camadas mais privilegiadas do país é aquele que teria a legitimidade de trilhar a jornada proposta por Campbell (2007).

É esse ambiente que vai forjar a atmosfera que imperou em Curitiba no ano de 2016. Assim, nesta subseção fazemos a análise das matérias e reportagens (conforme o quadro 02) sobre o juiz Moro presentes no jornal

Gazeta do Povo. Conforme já antecipado na subseção anterior, as matérias analisadas a seguir seguem nossa temática eleita para tal finalidade (jornada do herói e períodos temáticos).

O herói Moro (da) na Gazeta

Nesta subseção analisamos as matérias sobre Moro em seis eventos principais do cenário sociopolítico do país. Muitas delas guardam similaridades com os estágios da jornada do herói, como fizemos na subseção anterior, então mostramos essa peculiaridade também em cada reportagem estudada. Procuramos aqui atuar como (SILVA, 2012, p. 85) "um descobridor de sombras, um revelador de imagens latentes (...) um decifrador de enigmas do cotidiano expressos sob a forma de uma produção simbólica cada vez mais mediada por tecnologias de contato. É mister reiterar que as interpretações das matérias analisadas vão ao encontro do que assinala Legros et al (2007, p. 110): "A interpretação do imaginário pressupõe que seja preciso descobrir alguma coisa 'escondida' na 'aparência'".

O quadro a seguir cumpre a função didática de mostrar a sequência das matérias analisadas para melhor entendimento do(a) leitor(a). Para a busca das matérias foi executado o seguinte procedimento: digitamos na plataforma Google a data do evento (por exemplo: data da divulgação da conversa entre os ex-presidentes Lula e Dilma), e com o resultado voltamos ao Google e fizemos a busca pelas palavras-chave correspondentes à data do evento (moro gazeta do povo:), refinamos a busca em ferramentas, com o período intervalado de tempo e então os resultados apareceram na tela. A partir daí, fizemos a escolha das matérias utilizando o seguinte critério: texto mencionando o juiz Moro e abordagem do tema que propusemos ao estudo. Nossa escolha não se restringiu ao título da matéria, dessa forma, a maioria das reportagens analisadas não têm necessariamente no título o nome do juiz federal.

Quadro 02: Matérias analisadas sobre Moro na Gazeta do Povo

Título	Seção	Período Temático
16 de Março de 2016: o dia que o governo Dilma ruiu	POLÍTICA	Divulgação da gravação da conversa entre os ex-presidentes Lula e Dilma
Manifestação em frente à Justiça Federal em Curitiba teve clima festivo	VIDA PÚBLICA	Dia da votação do *impeachment* na Câmara dos Deputados
Dilma está na mira de Sérgio Moro, mas ainda pode escapar	JUSTIÇA E DIREITO	Dia após votação do *impeachment* no Senado Federal
Artistas parabenizam Moro pela condenação de Lula	COLUNA REINALDO BESSA	Divulgação da sentença condenatória do ex-presidente Lula
Julgamento de Lula mostra que TRF-4 está 'fechado' com Moro e a Lava Jato	REPÚBLICA	Confirmação da sentença de Lula no TRF-4
Moro manda prender Lula no processo do triplex	REPÚBLICA	Prisão do ex-presidente Lula

Fonte: Autor, 2018.

No dia 16 de março de 2016 uma conversa entre os ex-presidentes Lula e Dilma Rousseff foi divulgada nos principais meios de comunicação do país. Com a chamada "16 de Março de 2016: o dia que o governo Dilma ruiu" (figura 06) a reportagem inicia mostrando o tom belicoso daquela época que impregnava os homens de bem, os do Judiciário, o governo e o partido que o comandava: "Para salvar seu mentor político do juiz Sergio Moro – e do risco iminente de prisão dentro da Operação Lava Jato –, a petista acabou abrindo a via para ser derrubada do poder". Note-se que a matéria já ratifica o clima de luta existente e coloca Moro como um oponente. O trecho "(...) salvar seu mentor político do juiz Sérgio Moro" ironiza os esforços de Dilma de, nas palavras ocultas do jornal, "se livrar das garras da Justiça". Ou seja, Moro traria a Justiça sobre si e mostrava ali que era alguém da arena, do octógono (tal qual o UFC), pronto para atacar e que fora surpreendido por declarações de seu oponente sobre uma possível esquiva dessa luta.

 A matéria então subscreve o primeiro limiar, ou seja, uma grande prova para o herói: agir acima da lei na divulgação dos áudios para todo o país em prol de uma causa maior (Moro justificou seu ato invocando o direito à informação e transparência do processo a que a sociedade – supostamente – teria direito). Ou seja, a autoridade do herói estava subscrita pela mídia e como ela detinha na época o poder (quarto?) da narrativa, foi essa história que acabou colando no imaginário de grande parte da população. Não só a imprensa com sua representante curitibana Gazeta do Povo fez a cantilena do discurso em que a população teria o direito de saber o que se passava nos bastidores do poder, quanto emulou e potencializou essa proposta nas suas páginas diuturnamente (porque o jornal se atualiza no modo *online*).

Figura 6 - Divulgação dos áudios da conversa entre Lula e Dilma

> **GAZETA DO POVO** VIDA PÚBLICA
>
> SEMPRE {Família}
>
> A QUEDA DE DILMA
>
> **16 de março de 2016: o dia que o governo Dilma ruiu**
>
> Vazamento de gravação de conversa da petista com o ex-presidente Lula sobre nomeação para ministério amplia a convulsão política nacional

Fonte: Gazeta do Povo, 2016.

Um detalhe que sugestivamente "salta aos olhos" é a tira que mostra o assunto da reportagem ("A queda de Dilma"). Nela, apenas os olhos da ex-presidente são mostrados como se ela estivesse olhando de dentro de uma cela, ou esconderijo, ou seja, ratificando o imaginário vigente na época da presunção de culpa da então primeira mandatária da nação. Recurso de semioticidade canalha, a tarja pode ter contribuído ainda mais para que os leitores do diário paranaense construíssem em seu imaginário uma imagem negativa da (ex-)presidente.

A forma como a matéria traz seu título também é bem sugestiva quanto à replicação do *modus operandi* da Lava Jato: ela traz a data "16 de março...", tal qual a descrição das operações da PF que guardavam a data como num registro policial midiático para fins de fichamento, mimetizando uma narrativa mais para inquérito que relato de um fato.

A matéria propõe claramente uma leitura lavajatista do texto ao não mostrar o que Moro estaria incorrendo ao divulgar os áudios, ao ratificar tal ação do magistrado federal. Faltou desvelar tal contexto, mas isso deve ter acontecido voluntariamente já que era possivelmente mais conveniente deixar coberto.

O jornal nessa matéria cristaliza também uma identificação do imaginário do seu leitor quanto à necessidade de divulgação de informações, esquecendo, porém, de alertar (e de novo, tirar o véu) sobre a ilegalidade da ação. Proposital? Necessário? Tais provocações só nos fazem supor que novamente o jornal subscreveu e sustentou nas linhas da matéria o imaginário "protovigente" da luta que já estava em curso e que ainda teriam diversos desdobramentos entre o herói Moro x Lula, ou direita x esquerda.

A propósito desse clima beligerante que o jornal tratou de fomentar, pode-se também notar que o herói é mostrado por meio das ações do seu contrário, afinal o herói deve enfrentar desafios e ter o antagonista à altura, pois como assinala Durand (2014, p. 83): "Quando o monstro é minimizado – 'guliverizado', como diz Bachelard – o herói pendura a espada no vestiário e calça os chinelos". E ainda de acordo com o teórico francês, aludindo a Bachelard:

> (...) todo 'pluralismo' é 'coerente', e o próprio dualismo, ao tornar-se consciente, transforma-se numa 'dualidade' onde cada termo antagonista precisa do outro para existir e para se definir" (DURAND, 2014, p. 83).

Um dado curioso a ser observado na matéria é que logo acima da manchete temos a propaganda da seção do jornal denominada Sempre Família, que é um espaço onde o jornal aborda temas voltados ao conservadorismo em sua dimensão da moral da sociedade, tal qual a criação dos filhos, o cuidado com a família, as "melhores práticas" de ensino em casa, enfim, não à toa, tal propaganda da seção, e logo acima do foco de visão do leitor, busca fazer com que a frase Sempre Família esteja direcionada à interpretação do subconsciente, que, de acordo com Calazans (1992) é onde os bastonetes captam as mensagens subliminares[95]. Ou seja, ao ler Sempre Família, e logo abaixo uma data de um evento considerado bom para o conservadorismo brasileiro, a mensagem é clara: a família estava a salvo! E quem revelou tudo isso ao Brasil? Ao continuar a leitura vemos que é Moro. O primeiro limiar da jornada foi ultrapassado e o herói, vindo também de uma família comum, vai a mundos estranhos revelar o caos para dar sequência a sua saga de salvar o país de monstros que podem destruir...a família[96]!

Outra matéria que trazemos para nossa análise aqui revela a disposição do jornal em mostrar Moro como aquele que vem para salvar a família e por isso mesmo esta promove uma festa em prol da sua luta contra a (suposta) corrupção (dos tolos, evocando Jessé Souza) vigente. No dia da votação do *impeachment* pela Câmara dos Deputados o jornal publicou em sua versão *online* a seguinte reportagem: "Manifestação em frente à Justiça Federal em Curitiba teve clima festivo"

---

[95] Os bastonetes são as regiões do campo de visão (as bordas do olho humano) onde o subconsciente capta as imagens e palavras que estão no ambiente periférico e, contra isso, as pessoas pouco têm a fazer.

[96] A destruição da família aqui é uma ironia sobre o discurso do combate à corrupção que tem sido engendrado e também repetido pelos "cidadãos de bem" (os fãs do juiz federal e a mídia que o forjou), ou seja, Moro viria para combater aqueles que desejam destruir os "valores da família", qual sejam, por exemplo (para os conservadores): o casamento monogâmico, o ensino do criacionismo nas escolas, o afastamento do que eles chamam de ideologia de gênero (a "doutrinação" por meio do proselitismo homossexual nas escolas), entre outros "valores".

(figura 07). O tom do texto é a tradução da terceira etapa da bacia semântica de Durand (2014), qual seja, a das confluências, em que (DURAND, 2014, p. 110) "uma corrente nitidamente consolidada necessita ser reconfortada pelo reconhecimento, o apoio das autoridades locais e das personalidades e instituições". E que instituição poderia dar mais fé ao discurso de louvação ao (novo) herói Moro que a família? "Apesar do forte policiamento, as manifestações foram pacíficas, com *famílias* [grifo nosso] e pessoas de diferentes idades" (GAZETA DO POVO, 2016, *online*).

Figura 7 - Matéria sobre "pessoas de bem" em apoio a Moro

Fonte: Gazeta do Povo, 2016.

Assim, a confluência da bacia semântica do imaginário fez girar o motor (SILVA, 2012) materializado no texto do jornalista do periódico paranaense. Família, e "pessoas de diferentes idades", faz a ponte perfeita com o imaginário de "pessoas de bem", jargão tão citado pelos defensores do juiz em Curitiba.

O texto também remete a uma das fases da bacia semântica proposta por Silva (2017), a da acumulação, já que implicitamente coloca Moro como herói por meio do testemunho das pessoas postadas em frente à Justiça Federal para consumir camisetas com a foto do juiz:

> A empresária Cida Cardoso e a jornalista Didi Martinez vendiam camisetas com o rosto do juiz Sergio Moro e com palavras a favor da Operação. Os artigos custavam R$ 40 e ajudavam a cobrir os gastos do grupo. De acordo com elas, a camiseta com o rosto de Moro era a mais requisitada. "Nós mandamos fazer 50 e vendemos 45", contou Didi (GAZETA DO POVO, 2016).

Este trecho da reportagem exemplifica o excedente de significação que o imaginário confere (SILVA, 2017, p. 82) "não como resultado de querelas de grupos ou legitimação por lideranças, mas como fluxos e relações universais". Na acumulação

> a constância da infiltração leva a uma formação líquida crescente: uma gota, um enrugamento, uma poça, uma cheia, um lago, um rio, um excesso em vias de assumir uma singularidade a ponto de alcançar um estatuto próprio e de produzir sua narrativa particular e hagiográfica (SILVA, 2017, p. 83).

O jornal então mostra sua "impressão digital" já que revela sua "memória afetiva somada a um capital cultural" (SILVA, 2012, p. 57), e o "fato" relatado pelo jornalista é a oportunidade perfeita para dar vazão a essa fachada (nos termos de GOFFMAN, 1975[97]) do veículo curitibano enaltecendo

---
[97] O autor estabelece dessa forma a concepção de fachada: "quando estão em meio a um 'grupo particular de observadores' os indivíduos tendem a assumir uma representação de si mesmos. Nesta representação, o indivíduo mantém certa caracterização a fim de gerar no outro uma imagem positiva de si, ao incluir

as pessoas de bem e famílias no ato a favor dos prodígios[98] do herói. Seria honesto dizer na mesma matéria que havia também outros protestos na cidade em defesa do governo Dilma, como um que aconteceu no mesmo dia na Praça Rui Barbosa contando com 5 mil manifestantes (segundo a CUT – Central Única dos Trabalhadores – a PM contabilizou 1,7 mil no mesmo evento)[99]. O texto, porém, não trouxe essa informação, preferiu não divulgar e é nosso objetivo aqui também mostrar quando isso acontece, já que (SILVA, 2012, p. 87) "o narrador do vivido descreve essa ausência de revelação quando ela se faz evidente".

Além do mais é mister assinalar que a Gazeta do Povo traduz aqui o que Gramsci (1985) aborda sobre a atividade jornalística: (LARANGEIRA, 2014) um fazer resultante do agrupamento cultural parcialmente homogêneo, de orientação ideológica equivalente, "predisposto à crença da orientação cultural autárquica, arraigado a finalidades projetivas realizáveis e norteado por duas perspectivas focalizadas no elemento principal do plano editorial, o público" (LARANGEIRA, 2014, p. 168).

> Os leitores devem ser considerados a partir de dois pontos de vista principais: 1) como elementos ideológicos, transformáveis filosoficamente, capazes, dúcteis, maleáveis à transformação; 2) como elementos

---

em sua interpretação atributos socialmente apreciados" (GOFFMAN, p. 29). Ou seja, a Gazeta se utilizou do texto para esboçar sua representação de si por meio dos apoiadores de Moro.

[98] Um dos prodígios foi ter levado a (ex-)presidente Dilma a julgamento culminando no seu *impeachment*, já que divulgou os áudios de sua conversa com o ex-presidente Lula em março daquele ano o que foi decisivo para a abertura do processo de impedimento na câmara federal.

[99] Matéria do G1 RPC Paraná mostrou diversas manifestações ocorridas na cidade naquela data, o que pode ser conferido em: <http://g1.globo.com/pr/parana/noticia/2016/04/em-dia-de-atos-sobre-impeachment-curitiba-tem-protesto-pela-maconha.html>. Acesso em: 08 set. 2018.

'econômicos', capazes de adquirir as publicações e de fazê-las adquirir por outros (GRAMSCI, 1985, p. 163).

Podemos pensar se esse imaginário do jornal traduzido nesta matéria só seria possível porque também o veículo traz com muita carga sua ideologia conservadora consigo? Não se pode deixar de considerar tal hipótese, porém (SILVA, 2017, p. 124) "a ideologia é prescritiva e busca a reprodução de um estado de coisas. O imaginário é uma situação que nada prescreve embora contamine e funcione como motor". E ainda:

> A ideologia encobre para impedir o descobrimento. o imaginário recobre produzindo um paradoxal descobrimento. o indivíduo descobre-se pelo imaginário. O seu eu profundo emerge, vem à luz, surge (...). A ideologia obscurece. O imaginário ilumina. A ideologia apaga. O imaginário desvela. Não há como fundir ideologia e imaginário (SILVA, 2017, p. 125-126).

A matéria se revela como ícone do imaginário do veículo já que o predispõe a mostrar ao seu público uma narrativa de adesão e apoio ao juiz federal, posto que não mostra as manifestações contrárias que em grande número também aconteceram na capital paranaense naquele dia. O imaginário deveria ter iluminado, mas a ideologia apagou tal feixe de luz que pudesse se esgueirar por alguma fresta.

A reportagem seguinte analisada acontece no dia após o julgamento do *impeachment* pelo Senado Federal, que é a decisão definitiva sobre os rumos da (ex-)presidente Dilma Rousseff. A matéria busca edulcorar de vez o juiz como parte importante (quando não definitiva) de um processo traumático para a nação brasileira. O que interessava à mídia *mainstream* era afastar a esquerda (povo) do poder e assim o fez com a atuação salvífica e higienista do herói Moro.

Nesse sentido, a reportagem se faz e dá a entender que se não fosse por uma ação da Lava Jato o afastamento da presidente não teria acontecido, o que potencializa o imaginário vigente sobre o protagonismo da operação na limpeza moral do país.

Figura 8 - Dilma na mira de Moro

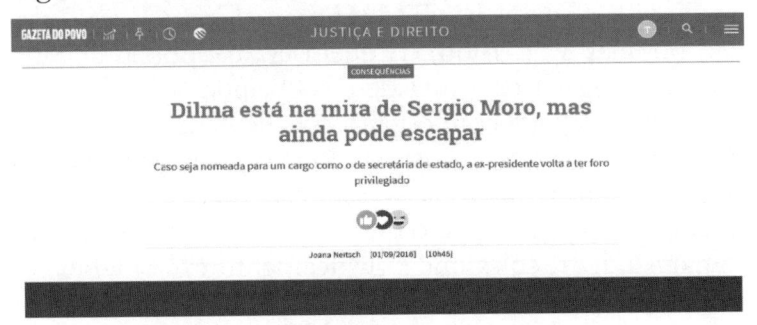

Fonte: Gazeta do Povo, 2016.

Figura 9 - Close em Sérgio Moro

Fonte: Gazeta do Povo, 2016

Não somente o texto da matéria "Dilma na mira de Moro" (figura 08) diz muito sobre o imaginário popular na época, mas a foto que a acompanha é reveladora do espírito de guerra impetrado naquele fla x flu político social. A foto (figura 09) mostra Moro com semblante raivoso, buscando uma contenda, disposto à luta, olhos fixos, boca crispada, enfim, como se estivesse a postos para uma luta do UFC (*Ultimate Fight Championship* – o popular Vale Tudo). E quem era o oponente? Sim, Dilma, a (agora ex-) presidente. Quando a imagem do juiz é confrontada com o texto e a chamada ("na mira"), esse combo revela sua disposição não para a justiça, mas o justiçamento. Moro na Gazeta está mais para um justiceiro que um juiz, posto que este último deve agir com imparcialidade, coisa que o justiçamento exclui tal expediente, já que faz justiça por meio da vingança e, portanto, carregado de parcialidade – porém não em 2016 num cenário em que a sociedade procurava alguém para representá-la na luta pela corrupção (mas a corrupção advinda do PT em específico, e na esquerda em geral).

As notícias sobre Moro no turbulento ano de 2016 tiveram como tônica a exposição máxima do juiz como alguém que poderia (e estaria) salvar (salvando) o país e, também o encobrimento de todo e qualquer indício de que algo pudesse manchar a imagem do magistrado. Por isso (e assinalamos esse fato anteriormente, mas queremos trazer de volta para essa análise), os grandes veículos esconderam por exemplo o escândalo envolvendo Tácla Duran do público. Tal qual Moro, a mídia costuma dizer nas entrelinhas que o episódio e seus desdobramentos "não vem ao caso", cobrindo o fato e evitando que alguém o descubra. Assim como ensinava Roberto Marinho sobre como editar o Jornal Nacional: "O JN é o que é pelo que ele não mostra" (AMORIM, 2015).

O imaginário da mídia na construção de uma matéria como esta (figuras 08 e 09) é "um silêncio que fala" (SILVA, 2017, p. 145) já que deixa, tal qual a alegoria proposta por Silva (2017) no quadro de Vermeer[100] a pergunta sobre (SILVA, 2017, p. 145) "o que esse quadro pode gerar como fantasia na percepção do observador". O texto, assim como o quadro do pintor holandês, mostra instantâneos do cotidiano daquele período que é uma parte do todo (MORIN, 2000) do imaginário da caça à corrupção por uma pessoa escolhida para tal. A própria chamada da matéria "Dilma está na mira de Sérgio Moro, mas ainda pode escapar", abre espaço para o imaginário como uma (SILVA, 2017, p. 168) "brecha que remete à necessidade de preenchimento". E como por exemplo poderíamos fazê-lo? Pensando que alguém que escapa à *longa manus*, certamente não é uma "pessoa de bem", como atesta o adágio curitibano-direitista-conservador[101].

Não é de hoje que a Gazeta cultiva um espírito antipovo. Em 1964 fez editoriais avalizando as decisões do governo golpista de Castelo Branco, além de um outro em que afirma que o papel do estudante é estudar (e não lutar por um país mais justo e igualitário). Nas figuras 08, 09 e 10, voltamos a um passado turbulento do país para mostrar que, assim como em 2016 o jornal fez em 1964 uma ode ao "novo regime".

Nestas matérias podemos perceber um retorno ao passado, tempo este que parece não ter tido efeito pedagógico à mídia como um todo. A Rede Globo, por exemplo, apoiou o regime militar e só na segunda década dos anos 2000 fez seu *mea culpa* por esse delito. A Gazeta quando

---

[100] Vermeer (1632-1675) foi um pintor holandês que retratava os instantâneos do cotidiano. Um de seus quadros mais famosos é A leiteira e A ruela.

[101] O pleonasmo da expressão aqui é proposital.

o fará? Aparentemente com o orgulho que a República de Curitiba trouxe a parte de seus habitantes por meio da Operação Lava Jato, isso ainda parece demorar a acontecer visto que o jornal curitibano viu uma grande oportunidade de obter *likes* e compartilhamentos de suas matérias quando estas abordam os personagens principais daquele enredo de 2016. O imaginário submeteu seus jornalistas aos auspícios do clima hagiográfico da capital paranaense ao colocar o juiz Moro sempre como o imaculado. Se existe algo contra o magistrado, isso é tratado em segundo plano e com mil e uma coleta de depoimentos que reforcem as qualidades do juiz. Como já dissemos no início deste trabalho, é bem possível até que o próprio Moro não dê importância para sua emulação midiática, mas é certo, porém, que não faça nada para impedi-la. É o herói *blasé*.

Figura 10 - O estudo

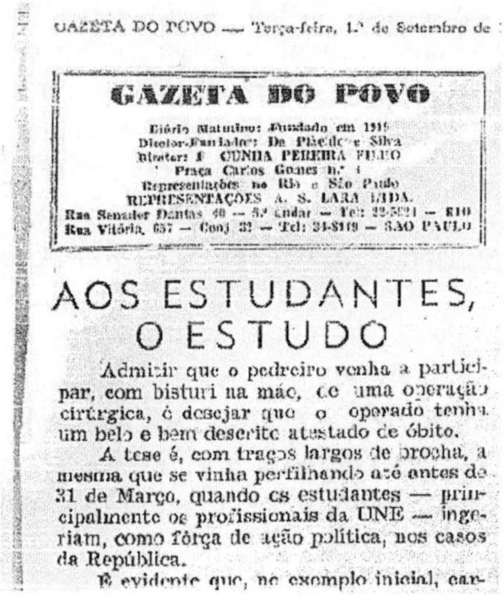

GAZETA DO POVO — Terça-feira, 1.º de Setembro de

GAZETA DO POVO

Diário Matutino: Fundado em 1919
Diretor-Fundador: De Plácido e Silva
Diretor: F. CUNHA PEREIRA FILHO
Praça Carlos Gomes n.º 4
Representações no Rio e São Paulo
REPRESENTAÇÕES A. S. LARA LTDA.
Rua Senador Dantas 40 — 5.º andar — Tel: 22-5521 — RIO
Rua Vitória, 657 — Conj 32 — Tel: 34-8119 — SÃO PAULO

AOS ESTUDANTES, O ESTUDO

Admitir que o pedreiro venha a participar, com bisturi na mão, de uma operação cirúrgica, é desejar que o operado tenha um belo e bem descrito atestado de óbito.

A tese é, com traços largos de brocha, a mesma que se vinha perfilhando até antes de 31 de Março, quando os estudantes — principalmente os profissionais da UNE — ingeriam, como fôrça de ação política, nos casos da República.

É evidente que, no exemplo inicial, car-

Fonte: Acervo BPP, 2018.

Figura 11 - Gazeta em 1964

GAZETA DO POVO

Nação supera crise político-militar

Confirmada pelo III Exército a fuga de Jango: Montevidéo

Fonte: Acervo BPP, 2018.

Figura 12 - Nossos Amanhãs

OS NOSSOS AMANHÃS

Há um novo presidente da República, em Brasília, desde a madrugada de ontem, como símbolo de outra etapa na vida nacional.

Os fatos desenrolam-se, ainda, com os naturais desdobramentos nos setores militares e políticos, nas alternações de sobressaltos e esperanças. Transpassa, porém, como uma grande esperança, o desejo de que encontremos a paz. Não aquela sepulcral dos cemitérios, mas a paz da vida rotineira de tra-

Fonte: Acervo BPP, 2018.

O ambiente em 2016 era propício ao conservadorismo principalmente na recém-batizada vulgarmente (e com orgulho) República de Curitiba. Como já dissemos, o curitibano médio (o cidadão comum da capital) com saudades que estava de um tempo em que a cidade tinha alguma relevância para o país, abraçou com tudo a ideia de que ela seria o *bunker* conservador ao inclusive reter consigo o maior inimigo da direita: o ex-presidente Lula, então preso em 2018 por ordem do juiz Moro. Nesse contexto, voltar a figurar como manchete diuturnamente nos principais veículos de comunicação, Globo em particular, conferiu à cidade o status perdido não de cidade ecológica, (a do verde e ligada ao meio ambiente da biodiversidade) mas ecosófica, nos termos de Maffesoli.

Dessa forma, como ensina Silva (2012) a tarefa do narrador do vivido é também a "abordagem de corsário. Deve assaltar o passado para conquistar o presente". Nesse sentido, fazemos uma ponte para o passado[102] e mostramos que o jornal curitibano (re)encarna o espírito de 1964 quando a maior parte da imprensa apoiou o golpe civil-militar e agora no *impeachment* da (ex-)presidente Dilma, na medida em que sua matéria busca protocolar a conduta das manifestações, sempre se utilizando da semântica própria à condenação dos movimentos

---

[102] Aqui fazemos uma ironia da expressão "Ponte para o futuro" do presidente Michel Temer no exercício de seu mandato como então presidente da República entre os anos 2016 e 2018. O *slogan* na verdade é emprestado do nome de um documento elaborado em 2015 pela Fundação Ulysses Guimarães (pertencente ao PMDB) no qual o partido propõe "uma série de medidas visando a retomada do crescimento da economia brasileira e crítica 'excessos' cometidos pelo governo federal nos últimos anos que ocasionaram em "desajuste fiscal" que chegou a um "ponto crítico" (EBC, 2015) – mais informações podem ser encontradas em: <http://agenciabrasil.ebc.com.br/politica/noticia/2015-10/pmdb-critica-excessos-economicos-do-governo-e-aumento-de-impostos>. Acesso em: 16 jan. 2019.

populares ou mesmo aqueles que buscavam a luta por direitos perdidos ou em vias de, como fora com o editorial sobre os estudantes (figura 10).

Assim, o jornal subscreve no presente o que no passado já havia feito em relação aos movimentos populares e os de apoio a questões mais circunscritas nas necessidades do povo, uma pauta mais robusta pertencente ao espectro à esquerda do campo político.

No dia da divulgação da sentença que condenou Lula a 9 anos de prisão, a Gazeta fez diversas reportagens sobre o fato, mas uma que chama a atenção é a que mostra a adesão dos artistas à condenação do ex-presidente (figura 12).

Figura 13 - Artistas parabenizam Moro

Fonte: Gazeta do Povo, 2017

Figura 14 - LP autografado/Blitz

Fonte: Gazeta do Povo, 2017

Na matéria sobre os artistas podemos perceber o excedente de significação que o imaginário do texto e imagem que o acompanha pode revelar já que, conforme Silva (2017, p. 25):

> Só há imaginário na medida em que existe o real. O imaginário funciona como acréscimo ao real, não podendo, portanto, prescindir dele. O que é o real? O existente sem a significação atribuída pelo imaginário (...). O imaginário é o sentido que redimensiona o fato sem que se possa anulá-lo por iluminação.

E qual o sentido que podemos tirar das camadas do texto da Gazeta? O primeiro deles é o da chancela de um campo ao outro (nos termos de Bourdieu): o campo da arte dá fé ao campo jurídico e o sentido desse apoio confere uma atmosfera mais branda, *soft* ao ambiente sisudo que marca o contexto politico-jurídico. A matéria busca, deliberadamente ou não, ratificar o apoio da dimensão *homo ludens* à *homo faber*[103]. Aqui acontece o que Durand chama de confluência em suas etapas da bacia semântica que irrigam o imaginário, já que (2014, p. 110) "assim como um rio é formado dos seus afluentes, uma corrente nitidamente consolidada necessita ser reconfortada pelo reconhecimento, o apoio das autoridades locais e das personalidades e instituições". Ou seja, nessa terceira etapa da bacia semântica proposta pelo pensador francês, a Gazeta do Povo estaria atribuindo ao herói Moro o reconhecimento das celebridades brasileiras ao seu feito, e personalidades essas do mundo das artes, da dimensão onírica do mundo.

Podemos perceber também que na matéria sobre o apoio dos artistas ao juiz Moro acontece a fase da infiltração em que Silva (2017) em sua hipótese do imaginário como excedente de significação, descreve como aquela onde (2017, p. 83) "ao contrário da divisão de águas de Durand, anterior às confluências, a infiltração forma um pequeno lago que poderá se transformar numa configuração cheia de sentido". A imagem que

---

[103] De modo geral, o *homo ludens* é o sujeito que apreende os significados do mundo de maneira mais fácil pelo entretenimento, pelo jogo, pelo lúdico. No livro "Homo Ludens" (2001) Huizinga apresenta o conceito de círculo mágico em que mostra que as pessoas quando participam de um jogo deixam de lado os problemas, entrando numa espécie de universo paralelo: "Dentro do círculo mágico, as leis e costumes da vida quotidiana perdem validade" (HUIZINGA, 2001, p. 16). O *homo faber*, é o trabalhador, aquele que pauta sua vida e o significado que dela faz, por meio da labuta, do fazer, da atividade permanente, da fabricação de algo e principalmente pelo foco numa espécie de tecnicismo, sem espaço para reflexão daquilo que produz. Para Arendt (2011) esse homem é aquele que produz o mundo por meio do seu trabalho o que dá a ele a primeira identificação humana e o distingue de outras atividades de sua espécie. Ainda segundo a autora: O mundo no qual viemos a viver hoje, entretanto, é muito mais determinado pela ação do homem sobre a natureza, criando processos naturais e dirigindo-os para as obras humanas e para a esfera dos negócios humanos, do que pela construção e preservação da obra humana como uma entidade relativamente permanente (ARENDT, 2011, p. 90).

traduz essa assertiva é aquela que mostra o magistrado segurando um LP autografado pela banda Blitz (figura 12). Qual o sentido que ela excede? Primeiro notamos que o próprio nome da banda (Blitz) é um símbolo de guerra, posto que deriva de (SIGNIFICADOS, 2018, *online*) blitzkrieg[104], que em português significa relâmpago e quando na foto o juiz aparece segurando uma imagem cuja inscrição impressa é Blitz, podemos pensar que o apoio ao juiz é justamente porque ele está promovendo um choque, um ataque relâmpago ao governo de então (tudo contra a corrupção).

Ainda na imagem de Moro segurando o LP da banda Blitz (figura 14), que o apoiou por conta dos seus prodígios no período de *impeachment* da (ex-)presidente Dilma, podemos verificar que a imagem da capa do disco (figura 15) é um ser híbrido, uma pessoa com o punho cerrado cobrindo o rosto, como se essa cobertura com o braço mimetizasse uma Thémis, que tem os olhos vedados para justamente conferir seu caráter de imparcialidade no julgamento dos homens, com a cabeça onde do topo tem-se uma figura que parece uma raposa do lado direito e um cão, do esquerdo.

---

[104] Em sua etimologia BLITZ, quer dizer "raio", do antigo germânico BLECCHAZZEN, "brilhar, iluminar", mais KRIEG, "guerra", no antigo Germânico "desafio, teimosia" (ORIGEM DAS PALAVRAS, 2018, *online*). A blitz foi um ataque repentino, realizado pela aviação alemã contra o Reino Unido, durante a Segunda Guerra Mundial (SIGNIFICADOS, 2018, *online*).

Figura 15 - LP banda Blitz

Fonte: Bilensky Discos, 2018.

O imaginário que acompanha a foto de Moro segurando seu presente autografado, mostra algo além do que as cores e palavras ali impressas podem dizer. Mostram que o homem desfigurado, vermelho, que chora por algo estaria prestes a cair com operação relâmpago do juiz herói. Conclusão exagerada de uma simples imagem? Faz sentido? Não, se se pensar que (SILVA, 2017, p. 127) "o sentido não se apresenta como direção de mão única. Até se consumar como significado – aquilo que faz sentido – dá--se a ver como labirinto, vaivém, bifurcação, encruzilhada e pista: sinalização".

Sendo assim, quando a Gazeta posta uma matéria em que enfatiza o apoio da classe artística, além de mostrar uma imagem onde o juiz Moro estaria portando a chancela da luta contra o mal, o jornal mostra sua disposição em emular o magistrado como o salvador de todos, inclusive daqueles que em grande parte teriam simpatia pela ala da esquerda (já que os artistas são normalmente propensos a inclinações de ordem esquerdistas). Além disso, a matéria também revela o auxílio sobrenatural, terceira etapa da partida do herói que Campbell (2007, p. 74) coloca nos seguintes termos:

> para aqueles que não recusaram o chamado, o primeiro encontro da jornada do herói se dá com uma figura protetora (que, com frequência, é uma anciã ou ancião), que fornece ao aventureiro *amuletos* [grifo nosso] que o protejam contra as forças titânicas com que ele está prestes a deparar-se.

O jornal ao publicar essa matéria, mostra o herói recebendo os amuletos dos artistas para seguir sua jornada de luta contra o mal (no caso, a corrupção – dos outros), assim "o herói [Moro] que estiver sob a proteção da Mãe Cósmica nada sofrerá" (CAMPBELL, 2007, p. 76).

No dia 24 de janeiro de 2018, data da confirmação da sentença de Moro ao ex-presidente Lula pelo TRF-4 (Tribunal Regional Federal da quarta região, que incluí os estados do Paraná, Rio Grande do Sul e Santa Catarina), a Gazeta fez uma matéria mostrando a união da classe jurídica em sua mais alta corte regional ao juiz herói (figura 16). Sob o título "Julgamento de Lula mostra que TRF-4 está 'fechado' com Moro e a Lava Jato", o diário predispõe ao leitor sua intenção de mostrar que o juiz herói estaria respaldado por instâncias superiores, protegido, ratificado, subscrito por seus pares. Na matéria, o jornal assinala ainda que os três desembargadores do Tribunal utilizaram a transmissão ao vivo para defender o colega de Curitiba perante todo o país.

Com um apadrinhamento beatífico desses, o jornal busca na aura da Justiça a chancela para os atos do herói em sua jornada. Os desembargadores, mostra o jornal, atuam como os anciões da lenda russa de Ilya Muromets, um *bogatyr* (herói) da corte do príncipe Vladimir da cidade de Kiev (FURTADO, 2006). Na história, Ilya nasce inválido e só inicia sua carreira como herói aos 33 anos (como o herói dos cristãos). "A força desse herói viria de Deus, mas isso deveria manter-se dentro de um limite moderado, de modo a não perturbar a Mãe Terra Úmida" (FURTADO, 2006, p. 169). Naquela região, os eslavos pagãos adoravam a personificação da terra cultivável como uma divindade especial, um ser supremo, consciente e justo.

Em algumas regiões da Rússia, o camponês escavava a terra com um bastão, ou mesmo com os dedos, e encostava a orelha ao chão para escutar o que a Terra lhe dizia. Se ouvia um som lembrando o ruído de um trenó bem carregado deslizando na neve, a colheita seria boa; se, ao contrário, fosse o ruído de um trenó vazio, a colheita seria ruim. Durante séculos, os camponeses eslavos decidiam litígios sobre propriedade fundiária invocando o testemunho da Terra: se alguém jurava pondo sobre a cabeça um torrão e terra, seu juramento era considerado incontestável (...). Só era bem-sucedido o homem que procurava agradar à Mãe Terra Úmida (FURTADO, 2006, p. 169-170).

Na lenda russa, o herói Ilya encontra três santos peregrinos vestidos como velhos e pobres que lhe suplicaram que lhes desse algo para beber. A história transcorre assim:

- Ai de mim, viajantes, bons homens, caros amigos! – disse Ilya. – De boa vontade lhes serviria o que quisessem, mas não consigo levantar-me e não há ninguém na cabana comigo.
- Levanta-te e vai lavar-te, insistiram os homens, e traze logo bebida para nós. Então ele se ergueu e andou; e tendo enchido um copo com kvas destilado do melhor centeio, trouxe-o para os anciões. Eles o receberam, beberam do copo e o deram de volta a Ilya para beber também, dizendo em seguida:
- Como está tua força, Ilya?
- Eu vos agradeço humildemente, bons velhos. Sinto uma grande força dentro de mim, tanta que poderia até mover o mundo. Ouvindo isso, os homens se entreolharam e disseram:
- Dá-nos de beber de novo.
E Ilya obedeceu. E depois de beberem eles lhe passaram o copo pela segunda vez e, quando ele tomou mais um gole, perguntaram:
- E agora, como te sentes, Ilya?
- A força que sinto é muito grande, mas é a metade do que era.
- Que fique assim; pois se te dermos mais, a Mãe Terra não suportará teu peso. E agora, Ilya, estás pronto para seguir teu caminho. Ilya largou o copo na mesa e saiu para a rua, sem nenhuma dificuldade; e os velhos lhe disseram ainda:
- Deus te abençoou, Ilya, com essa força que vem dele. Portanto, deves sair em defesa da fé cristã, combater contra todas as hordas dos infiéis, por mais bravos e atrevidos guerreiros que sejam, pois está escrito que a morte não te virá em batalha (FURTADO, p. 173).

Os anciãos (sábios) da lenda russa são os desembargadores que lhe fornecem amuletos para o prosseguimento da jornada do herói Moro. Tendo a benção desses três, o jornal mostra que o juiz estaria ainda mais rotundo para o combate à corrupção e ao "mal exterior". A lenda ainda traz uma aproximação com o imaginário daquele contexto. O solo brasileiro mimetiza a Mãe Terra Úmida, aquele ente sagrado a quem se deve respeito acima de tudo e também bastante temor. Os sábios da história ainda fazem uma advertência que pode ser observada para o fato que a reportagem nos traz: é prudente que o herói não tenha todo o poder pois "a Mãe Terra (ou o país) não suportará teu peso" (FURTADO, 2006, p. 173).

Figura 16 - TRF- 4 confirma sentença de Moro

Fonte: Gazeta do Povo, 2018.

Nessa matéria (assim como nas anteriores e posteriores) procuramos atuar como (SILVA, 2012, p. 85) "o narrador do vivido (...), descobridor de sombras, um revelador de imagens latentes, um caçador de fantasmas, o contador de histórias da sociedade para a sociedade". E o que pretendemos descobrir das sombras? Além do que já assinalamos no paralelo com a lenda russa do herói IIya e a benção dos velhos sábios e o juiz Moro com sua autoridade ratificada pelos sábios do TRF-4, a matéria busca também credibilizar Moro àqueles que ainda pudessem ter dúvidas de suas características. "Sobre Moro, o desembargador Victor Laus chamou-o de 'talentoso' e 'brilhante' (...). O juiz do TRF-4 também defendeu as provas que constam do processo. Disse que elas são absolutamente verossímeis" (GAZETA DO POVO, 2018).

O jornal não joga luz na penumbra que tais provas e o processo como um todo cega de tão brilhante: a falta de provas para condenação do ex-presidente. Um crítico ferrenho do Partido dos Trabalhadores, de Lula e da esquerda em geral, o jornalista Reinaldo Azevedo, portanto uma voz insuspeita, foi um dos mais críticos da sentença condenatória do ex-presidente:

> Sérgio Moro não demonstra os vínculos entre os contratos para tais obras e o dito apartamento. Ora, evidenciá-los parecia a todos coisa obrigatória, uma vez que se trata do crime de corrupção passiva. Ainda que a denúncia vincule os diretores nomeados por Lula com os supostos benefícios indevidos, lá está a acusação formal: estes teriam saído dos contratos referentes às três obras (BLOG REINALDO AZEVEDO, 2018).

Portanto, no imaginário dos profissionais do jornal paranaense não há pretensão de realização do trabalho jornalístico – pelo menos não o do "camponês que cultiva a terra, mas o [do] explorador que provoca as energias sociais para alcançar um resultado máximo ao menor custo" (SILVA, 2012, p. 104). O que interessava naquele período era o silencio obsequioso para que até dele se projetasse a emulação do juiz herói pela mídia. Nada de elucidação de algo. Nada de trazer das sombras o que a luz encobriria. Ficou a cargo de veículos independentes tal tarefa, conforme veremos no capítulo seguinte já que no presente caso, o que vigorou na mídia foi (LARANGEIRA et al., 2018, p. 18)

> O alinhamento do imaginário do *mainstream* midiático brasileiro às classes dirigentes é o esteio dos recorrentes e previsíveis sentenciamentos prévios de liderancas populares em quaisquer casos e instâncias judiciais, em especial a condenação do ex-presidente Luiz Inácio Lula da Silva em 1ª instância e a reiteração e ampliação da pena no julgamento do recurso pelo tribunal de 2ª Instância do judiciário.

Por fim, na matéria Moro manda prender Lula no processo do triplex (figura 17) a Gazeta registra a etapa final da jornada do herói, onde ele retorna trazendo o elixir.

> (...) o herói tem de penetrar outra vez, trazendo a benção obtida, na atmosfera há muito esquecida na qual os homens, que não passam de frações, imaginam ser completos. Ele tem de enfrentar a sociedade com seu elixir, que ameaça o ego e redime a vida, e receber o choque do retorno, que vai de queixas razoáveis e duros ressentimentos à atitude de pessoas boas que dificilmente o compreendem (CAMPBELL, 2007, p. 213).

A narrativa que o jornal imprime nessa última matéria por nós analisada busca apresentar Moro como aquele que de fato venceu sua batalha contra o maior inimigo, a saber, o ex-presidente Lula, o objeto real da perseguição midiática travestida de combate à corrupção no Brasil. Ao decretar a prisão de Lula, Moro cumpre sua jornada como herói construído pela mídia.

Figura 17 - Moro manda prender Lula

Moro manda prender Lula no processo do tríplex

Ex-presidente foi condenado em segunda instância a 12 anos e um mês de prisão por corrupção passiva e lavagem de dinheiro

Fonte: Gazeta do Povo, 2018.

Figura 18 – Ex-Presidente Lula

Fonte: Gazeta do Povo, 2018.

A imagem do ex-presidente logo abaixo da chamada mostra seu semblante bastante preocupado e até de certo modo temeroso. O relógio em destaque (figura 18) revela também que seu tempo acabara (por conta da decisão do herói Moro) e ao mesmo tempo revela subliminarmente que o dono do tempo do ex-presidente agora é o juiz Moro que justamente determinou a restrição de seu tempo livre. A mulher logo atrás de Lula na foto, aparece como um ser que o vigia, ao mesmo tempo lamentando o ocorrido ou mesmo torcendo para o seu ocaso.

Com essa matéria acompanhada da foto de Lula que parece estar pensativo num inferno que ainda está para se consumar, a Gazeta enseja a *Einfühlung* para conquistar então adesões de seus leitores envoltos ao imaginário de perseguição da corrupção como um todo e ao ex-presidente Lula em particular. Como assinala Maffesoli (2011, p. 159-160):

> Reencontra-se essa força coagulante do belo na noção de empatia, essa Einfühlung que suscita tantas reticências da parte dos intelectuais e dos políticos contemporâneos, sem deixar de ser a expressão de uma simpatia simbólica, dessa estranha pulsão que me leva a perder-me no outro (...). Sentimentos, emoções, pulsões, resíduos, a lista é longa dos termos empregados; a realidade designada é a mesma: há uma misteriosa atração em torno disso (desses) que se experimenta em comum e faz sociedade.

Nesse sentido, o periódico paranaense como tecnologia do imaginário opera a junção desse cimento social (MAFFESOLI, 2001), dessa cola das pulsões de revide, raiva, ódio ao pobre, que fez (SOUZA, 2016, p. 96) "a direita conservadora e moralista de ocasião (...) sair do armário e se assumir" como tal. O jornal, ele mesmo toma tal posição sem pudor algum! Por acreditar fielmente estar cumprindo (na aparência) um dever cívico e (na essência) também um imperativo comercial (afinal naquele período quaisquer notícias que envolvessem Lula e principalmente aqueles em que Moro é colocado como justiceiro), a Gazeta embarcou no imaginário vigente edulcorando seu herói como pode.

A Gazeta como tecnologia do imaginário não buscava congregar as pulsões objetivas e subjetivas e a reversibilidade destas por meio das matérias publicadas, mas antes (SILVA, 2012, p. 23) "operar no território anárquico da potência". E foi nessa bagunça vinda desde 2013 quando das manifestações das jornadas de junho que o jornal inflama o *status quo* dos movimentos desejosos de justiçamento com a elevação do magistrado à condição redentora.

O herói Moro cumpre nessa última matéria por nós analisada, seu derradeiro ato na jornada: traz o elixir de volta com a vitória nas costas, mandando prender nada menos que o ex-presidente da República Luiz Inácio Lula da Silva, alguém que governou o país por dois mandatos consecutivos e ainda elegeu seu sucessor por mais dois (o último interrompido pelo *impeachment*, que muitos chamam de golpe). Um juiz de primeira instância na longínqua e provinciana Curitiba acaba então de ser erigido como o herói da nação e a mídia cumpriu seu papel ao atuar como forjadora deste feito.

MAS OS SEUS NÃO O RECEBERAM: 3 VEZES NÃO AO HERÓI MORO

Antes que o galo cante, tu me negarás três vezes
(Mt, 26:75)

Em junho de 2018 pesquisa Ipsos mostrava que Moro tinha 51% de rejeição no país[105]. As escrituras sagradas contam que no evangelho de Marcos (6:4-5) o profeta não pode ser profeta em sua própria terra. No caso do nosso herói, a assertiva não foi completamente fiel pois ele foi "profeta" sim entre grande parte dos seus e se tornou orgulho de sua gente. Ainda assim, a força do versículo bíblico se impôs, já que nem todos o aplaudiram: "Veio para os seus, mas os seus não o receberam" (João 1:11, in: BIBLIA SAGRADA, 1969), e então eis que uma parte pequena mas significativa da imprensa não subscreveu os feitos do herói juiz e nem o elevou a tal nível. Três publicações com circulação em Curitiba negaram Moro ao menos em três períodos-chave do conturbado ano de 2016! A versão paranaense do Brasil 247, o Brasil de Fato seção Paraná e um blogueiro de perfil quixotesco, Esmael Morais (do Blog do Esmael[106]) todos eles, embora a favor do combate à

---

[105] Moro é aprovado por 39% da população. Disponível em: <https://www.revistaforum.com.br/maioria-dos-brasileiros-reprova-o-juiz-sergio-moro-diz-pesquisa-estadao-ipsos/>. Acesso em: 23 jun. 2018.

[106] Aqui vale destacar que são veículos majoritariamente alinhados a um viés esquerdista. Procuramos outros jornais "neutros" mas na capital paranaense todos eles fazem o mesmo discurso da Gazeta (até porque a maioria é do

corrupção não beijaram a cruz "moriana" ou fizeram dela sua profissão de fé. Antes, denunciaram o que começava a se revelar como comportamentos parciais do magistrado e inclusive algumas denúncias contra ele próprio. Coragem *a la* Última Hora gaúcha[107] e A Hora de Recife/PE nos idos dos anos 1960 no contexto daquele período de golpe civil-militar.

Embora a popularidade fosse vultosa para nosso herói em 2016, especialmente no período do *impeachment*, principalmente na sua terra alguns veículos de comunicação (alternativos) não corroboraram com a construção de uma imagem messiânica que o magistrado colhera naquele tempo. São poucos, é verdade, mas vozes que denotam um foco de resistência, uma espécie de aldeia gaulesa como em Asterix, em meio à fúria romana. Não se pode dizer que naquele momento o mito Moro era tanto menor quanto sua aura, mas entre alguns poucos ele não gozava de muita credibilidade, para não dizer de nenhuma. O poderio do herói não era soberano em sua própria terra por isso alguns dos seus não o receberam. Nesse sentido, invocamos Maffesoli e sua ideia de potência: é a perda da potência do poder (MAFFESOLI 2011, p. 74) "que não esgota todas as virtualidades da potência [...] possibilitando, quando a diferença se torna patente, para o imaginário coletivo, invalidá-la ou derrubá-la". No caso de Moro não

---

mesmo grupo empresarial o GRPCom) então não teríamos um *corpus* suficiente para a análise de um contraponto ao comportamento hagiográfico de Moro. Por isso, foram escolhidos esses periódicos.

[107] Conforme nos conta Larangeira (2014, p. 113): "Restaria para a Última Hora gaúcha – o único dos periódicos do jornalista Samuel Wainer em atividade com os fechamentos das UHs em Belo Horizonte, São Paulo e Curitiba, no dia 31, e Rio de Janeiro, Niterói e Recife, em 1º de Abril – a incitação à resistência em Porto Alegre (...). O jornal, em matérias do dia 2, faria o chamamento à insipiente Rede Nacional da Legalidade, formada por Brizola e o prefeito petebista Sereno Chaise".

aconteceu nem uma coisa nem outra naquele 2016, mas vozes dissonantes puderam ser ouvidas ali perto da Justiça Federal. Pequenas fraturas, por onde puderam vazar alguns filetes de sentido tal qual a primeira etapa da bacia semântica proposta por Silva (2017) em sua ideia sobre o imaginário como excedente de significação:

> Um acontecimento qualquer deixa escapar um filete de sentido. O imprevisível altera o esperado produzindo um acontecimento emocional, um choque na percepção, uma alteração no discurso dominante. Esse pequeno excedente não cabe no fato ou na sua narrativa. Busca um canal por onde se espraiar e para onde correr até se acumular (...). O vazamento, obviamente, é aquilo que escapa e se acumula (SILVA, 2017, p. 82).

Claro que naqueles tempos o discurso que contrariava Moro e seus prodígios era descredibilizado e não gozava de adesão no imaginário médio da população, especialmente a de Curitiba, já que a mídia diuturnamente estampava notícias sobre escândalos que a Lava Jato (pseudo) combatia. No entanto, os veículos alternativos atuaram como um excedente naquele processo de significação e como tais "fizeram sua parte" ao desvelar o que o grande "Amazonas de sentido" (operacionalizado pelas tecnologias do imaginário em que, neste estudo, era personificada pela Gazeta do Povo) teimava em manter coberto.

Assim, a mídia alternativa agiu como Titono, amor predileto de Aurora, posto que "como sua irmã, a Lua, às vezes era presa de amor pelos mortais". Na história, a deusa se apaixona pelo filho de Laomenonte, rei de Tróia, rapta-o e consegue que Júpiter lhe conceda a imortalidade. Mas como acontece em todo o mito grego, o pedido tinha uma pegadinha: faltou pedir também a juventude. Dessa forma,

> [Aurora] começou a notar, depois de algum tempo, muito pesarosa, que seu amante estava ficando velho. Quando os cabelos de Titano se tornaram inteiramente brancos, a deus abandonou-o; ele, contudo, continuou a morar em seu palácio, a alimentar-se de ambrosia e envergar trajos celestiais. Afinal, perdeu o movimento das pernas e dos braços, e Aurora trancou-o em seus aposentos, onde sua voz muito fraca podia, às vezes, ser ouvida. Finalmente, transformou-o em gafanhoto (BULFINCH, 2001, p. 249).

Os veículos aqui analisados não eram fracos em suas vozes, apenas poucos em quantidade. Portanto, tal qual um gafanhoto, os jornais alternativos com suas vozes dissonantes, faziam saltar a partir do solo movediço informações que a grande mídia teimava em manter por lá, submersas. A Aurora curitibana não conseguiu prender seu gafanhoto. Não estava (ainda) tudo dominado.

Neste quinto e último capítulo mostramos que apesar do alarde da mídia no período estudado em prol do heroísmo de Moro (como vimos nos capítulos anteriores e objeto de nossa análise) o magistrado teve também matérias de veículos de comunicação que fizeram um contraponto à narrativa "oficial" na época (ao *zeitgeist* vigente). Dessa forma, analisamos então uma matéria de cada um dos jornais Brasil 247 e Brasil de Fato, além do Blog do Esmael. As reportagens estudadas estão circunscritas ao que consideramos três períodos-chave no processo de *impeachment* da ex-presidente Dilma (portanto, às três negativas dos "Pedros periodistas" daquele evangelho): a) divulgação da gravação da conversa entre os ex-presidentes Lula e Dilma; b) votação do *impeachment* no Senado Federal; e c) prisão do ex-presidente Lula. Esse período curto foi escolhido porque bastante simbólico de um tempo sombrio da nossa democracia. Não alargamos a análise do *corpus* para fazer jus à hierarquia dos objetivos deste estudo, já que identificar as vozes dissonantes da narrativa do herói curitibano trata-se de um objetivo específico e não do geral, portanto, reservamos um *corpus* maior (como vimos no capítulo cinco) à análise das matérias da Gazeta que elevavam Moro à figura de herói, nosso principal objetivo deste estudo. Ademais, entendemos que o contraponto não precisa ser a quantidade de matérias analisadas, mas sim a importância simbólica das mesmas.

Nesse sentido, o olhar vai na perspectiva da metodologia de análise deste estudo, relembrando: a sociologia compreensiva, de Maffesoli, e as Tecnologias do Imaginário, de Silva, do mesmo modo como o fizemos no capítulo anterior, mas com uma ressalva: como nestes veículos não há o desejo de colocar Moro como herói, não utilizamos Campbell (2007) como aporte teórico como o fizemos nas matérias da Gazeta.

Em dezembro de 2017 Moro foi vaiado[108] num encontro nacional de procuradores na sua cidade *"general quarter"*. Eles alegaram que o juiz da Lava-Jato fazia "populismo penal", "tem pouco apreço ao processo justo" e "se coloca como rival dos acusados, assumindo explícita parcialidade". Essa notícia evidencia os arranhões que sua imagem começava a provocar, especialmente no âmbito jurídico, e que tomava as manchetes de alguns jornais e revistas. O texto expõe o apoio ao magistrado ("mas muitos o aplaudiram de pé", UOL, 2017), ou seja, um ano após o protagonismo do herói Moro ainda permanece o *goodwill* da grande mídia à figura do juiz federal de Curitiba.

---

[108] Disponível em: <https://noticias.uol.com.br/politica/ultimas-noticias/2017/11/22/grupo-de-procuradores-protesta-contra-presenca-de-moro-em-congresso.htm>. Acesso em: 23 nov. 2017.

Outro registro das fissuras da imagem de Moro foi a reportagem da Folha de S. Paulo destacando que o magistrado recebia auxílio-moradia mesmo tendo imóvel fixo na cidade onde atua, o que é legal do ponto de vista legislativo mas de moral duvidosa em relação aos costumes e à imagem que possa transmitir a todo o resto da população, especialmente num tempo em que muitos não têm nem onde morar.

Esses fatos ocorridos nos anos seguintes à nossa análise podem nos fazer perceber que nem todos aceitavam a postura heroica e salvífica do juiz federal, só que em 2016 esse número era muito pequeno, porém ativo e barulhento. Nos parágrafos seguintes procedemos então à nossa análise dessa mídia alternativa ao complexo narrativo heroico-midiático-moriano.

Assim como fizemos no capítulo anterior, utilizamos a mesma metodologia de busca para as matérias analisadas e no quadro 07 segue uma visão sintética do *corpus* estudado neste capítulo. São três matérias no total, sendo uma de cada veículo analisado para determinado período (conforme assinalamos anteriormente) em que estas procuram evidenciar o que então os veículos independentes no Paraná (não eram oriundos desse estado mas tinham seções especiais destinada a notícias locais) publicaram em relação aos mesmos eventos que a Gazeta do Povo o fez, e que foram objeto de nossa análise como objetivo principal deste estudo.

No quadro a seguir, da mesma forma como no capítulo anterior, apresentamos sinteticamente as matérias analisadas, bem como os veículos que as produziram e seu período temático, conforme nossa proposta metodológica. Do portal Brasil 247 extraímos a matéria "Sérgio Moro divulgou grampo ilegal de Dilma", quando da divulgação da gravação da conversa entre os ex-presidentes Lula e Dilma; já do jornal Brasil de Fato, mostramos a reportagem "Imprensa mundial condena *impeachment* de Dilma", por ocasião da votação do *impeachment* no Senado Federal; e, por fim, trazemos o texto "Moro remete grampo ilegal para Globo ao invés do STF, denuncia Gleisi Hoffmann", do Blog do Esmael, quando da prisão do ex-presidente Lula.

É esse o *corpus* do contraponto à odisseia do heroísmo de Moro na (e pela) imprensa que trazemos aqui neste penúltimo capítulo para mostrarmos o foco de resistência midiática que ainda respirava no país naquele imaginário do juiz herói.

Quadro 03 – Matérias analisadas sobre Moro nos veículos alternativos

Título	Veículo	Período Temático
Sérgio Moro divulgou grampo ilegal de Dilma	Brasil 247	Divulgação da gravação da conversa entre os ex-presidentes Lula e Dilma
Imprensa mundial condena *impeachment* de Dilma	Brasil de Fato	Votação do *impeachment* no Senado Federal
"Moro remete grampo ilegal para Globo ao invés do STF", denuncia Gleisi Hoffmann	Blog do Esmael	Prisão do ex-presidente Lula

Fonte: Autor, 2018.

A primeira matéria que trazemos aqui vem com o título "Sérgio Moro divulgou grampo ilegal de Dilma", do portal Brasil 247, que é um veículo de comunicação digital fundado em 2011 e que reúne notícias e artigos sobre política, economia, cidadania, cultura e demais temas de interesse nacional. Em sua página o portal define seus princípios: "Norteado pela defesa da democracia, o portal se consolidou ao longo dos anos como uma das principais referências da mídia independente e progressista, respeitado dentro e fora do Brasil". Possui um sistema de assinaturas solidárias e sobrevive da comercialização do espaço publicitário. De acordo com o portal, "mensalmente são mais de 50 milhões de páginas visitadas no site, diariamente são mais de 5 horas de programação ao vivo no canal no YouTube, que já passa de 130 mil inscritos". O propósito do portal é (BRASIL 247, 2018) "apresentar uma visão contra-hegemônica do país e do mundo, abrindo espaço para representantes dos mais diversos espectros do campo progressista, incluindo partidos políticos, movimentos sociais, intelectuais, artistas, ativistas e jornalistas". A missão do veículo é "debater as grandes questões nacionais (...) que incluem a defesa da democracia, da soberania nacional, de um projeto de Brasil-Nação e da promoção da cultura brasileira" (BRASIL 247, 2018).

Figura 19 - Divulgação do áudio de Dilma e Lula

SERGIO MORO DIVULGOU GRAMPO ILEGAL DE DILMA

Gravação entre a presidente Dilma Rousseff e o ex-presidente Lula foi realizada pela Polícia Federal duas horas depois de o juiz Sergio Moro ter determinado o fim das interceptações

Fonte: Brasil 247, 2016.

A matéria do Brasil 247 já traz em seu título a "descoberta" que seus pares do *mainstream* midiático esconderam: a ilegalidade da ação de Moro. Por que não interessava então aos outros jornais e à Gazeta em especial revelar (ou dar ênfase) à ilegalidade da ação? Por que não trataram buscar embaixo do tapete a sujeira da ilegalidade da ação, com tantas vozes do meio jurídico clamando por sua contestação? Muito provavelmente trazer à luz essa história poderia manchar a imagem do herói, já que ele não erra (no máximo é induzido ao erro por outrem) e isso poderia demolir o projeto de construção do herói para os leitores/ cidadãos/brasileiros do jornal. Foi o que fez por exemplo o Portal G1 das Organizações Globo, seção RPC Paraná. A manchete já coloca o juiz como "o cara": "Moro derruba o sigilo e divulga grampo de ligação entre Lula e Dilma; ouça". A matéria revela os trechos das conversas entre os (agora) ex-presidentes e, também os demais trechos divulgados pelo juiz. O texto termina isso sim com uma declaração de Moro sobre a justificativa da divulgação das conversas: "Segundo Moro, o 'levantamento [do sigilo] propiciará assim não só o exercício da ampla defesa pelos investigados, mas também o saudável escrutínio público sobre a atuação da Administração Pública e da própria Justiça criminal'". Foi a palavra final da reportagem, ou seja, metaforicamente passou a seguinte mensagem: a última palavra é do Moro, do herói. Nada sobre a legalidade (ou não) do ato do magistrado.

Outra reportagem que insiste em deixar submerso as ilegalidades da decisão de Moro e seus desdobramentos foi o portal Congresso em Foco. Deveria se esperar mais de um site especializado na cobertura política, mas não foi o que fez: o foco não foi tão restrito e se "esqueceu" de abordar a suspeição da ação de Moro. Se limitou a pusilânime ausência de informações sobre a natureza da divulgação do áudio, acreditando na onisciência dos atos de Moro, como se o que o juiz faz, não é passível de questionamento. Parece estranho, juvenil, ignóbil, mas em 2016 o imaginário da autoridade do juiz federal era tão grande que se "esquecia" de fazer o básico do jornalismo: investigar. Aqui vemos também a prova do que a ex-assessora da Lava Jato (Christianne Maquiavelli) destacou na reportagem do The Intercept Brasil (2018) e que já abordamos anteriormente: "a imprensa 'comprava' tudo o que era divulgado".

Já na matéria "Imprensa mundial condena *impeachment* de Dilma" do Brasil de Fato, temos a dimensão global da chaga que atingiu o país naquele ano: o mundo condenando a infâmia. Do Washington Post, passando pelo New York Times, o espanhol El País e o francês Le Monde, todos eles, afirma a matéria, condenaram o *impeachment* da (ex-)presidente. O que a Gazeta escondeu, o Brasil de Fato trouxe em manchete para seus leitores: o Brasil passando vergonha mundo afora.

Lançado em 2003 por movimentos populares, o Brasil de Fato (BdF) é um site de notícias e uma radioagência, além de possuir jornais regionais no Rio de Janeiro, em Minas Gerais, em São Paulo, no Paraná e em Pernambuco. O objetivo do veículo é contribuir no debate de ideias e na análise dos fatos do ponto de vista da necessidade de mudanças sociais no país, além da luta pela democratização dos meios de comunicação (BRASIL DE FATO, 2018).

Figura 20 - Imprensa mundial condena impeachment de Dilma

Fonte: Brasil de Fato, 2016.

Num trecho da reportagem o jornal mostra a repercussão também na América Latina: "Já a *Telesur*, o maior canal de notícias da América Latina, que transmite para mais de 100 países, classificou o impeachment de golpe. 'Consolidado o golpe no Brasil', afirmou". O jornal continua dizendo que "também na Argentina, Portugal, Rússia e até no Oriente Médio, a repercussão seguiu a mesma linha".

Figura 21 - Moro remete grampo para Globo

BLOG DO ESMAEL
A POLÍTICA COMO ELA É EM TEMPO REAL.

Moro remete grampo presidencial para Globo ao invés do STF", denuncia Gleisi Hoffmann

Fonte: Blog do Esmael, 2016.

Já o Blog do Esmael (que é um portal de notícias do jornalista Esmael Morais, especializado em Política) estampa em sua página uma notícia ainda mais reveladora: "Moro remete grampo presidencial para Globo ao invés do STF". No texto o jornalista faz o que assinala Silva (2017, p.111) sobre o recobrimento do imaginário:

> O imaginário é um recobrimento. Um depósito. Se o imaginário cobre, a análise dos imaginários descobre. Recobrir é depositar material significativo sobre terreno fértil. A fertilidade do terreno esconde-se sob uma aridez aparente. Descobrir o recoberto remete a uma operação de saque. Esse saque pode limitar-se a uma operação de retirada ou alcançar um extremo de pilhagem.

O conteúdo traz um texto de *twitter* da então senadora do PT Gleisi Hoffman denunciando: "Lamentável o que ocorreu hoje! Um juiz de exceção faz grampo de conversa telefônica do ex-presidente com a presidenta da República e, ao invés de remeter ao Supremo Tribunal Federal, remete à Rede Globo. O Estado de Direito está em risco!". Quer dizer, o juiz, em sua busca desenfreada pela publicação de seus feitos, escolhe o "quarto poder" para enviar a divulgação do grampo entre os então recentes mandatários da nação.

Moro em sua sanha justiceira tinha por princípio participar a toda a sociedade os desdobramentos da Operação Lava Jato. O intuito era fazer como na Itália com a *Mani Pulite* (Mãos Limpas): convocar a população a participar de cada etapa da operação com o objetivo claro de criar uma atmosfera de apoio às suas ações de modo que ninguém teria coragem de contrariá-las, sob pena de ser hostilizado nas ruas e nas redes sociais. Para provar isso, hoje (2018) e ainda mais em 2016, pode-se questionar: quem foi capaz de desautorizar Moro? Nem ministros de instâncias superiores à dele o são! O único que fez uma reprimenda um pouco mais dura, o ex-ministro do STF Teori Zavascki, morreu em acidente de helicóptero no início de 2017. Ainda assim, o magistrado não se fez de rogado em suas escusas deixando claro que não assumia a culpa pela divulgação dos áudios, mas sim pelos transtornos causados na sociedade.

A Globo recebeu antes os áudios em 2016 assim como foi em 1986 quando soube antes de todo mundo que o governo iria lançar o Plano Cruzado, como conta Paulo Henrique Amorim:

> Ao lançar o Plano Cruzado, Funaro exibia a autoconfiança de sempre: parecia jogar com a vida e a morte, a cada etapa do serviço público. A bordo do avião que nos levava a Tóquio, com o testemunho de Roberto Muller, Funaro disse: "Vou virar a economia de ponta cabeça. O povo vai sair na rua para aplaudir o Plano

Cruzado!". Na segunda-feira, dia 24 de fevereiro de 1986, ele avisou Roberto Marinho que ia dar feriado na sexta-feira, dia 28, quando o Plano foi lançado e se tornou do conhecimento dos outros brasileiros. Ou seja, Roberto Marinho soube três dias antes que a economia ia virar de cabeça para baixo (AMORIM, 2015, p. 264).

Numa analogia com o caso, e guardadas as devidas proporções, Moro foi o Funaro dos anos 1980 ao ser o portador da mensagem à Globo de uma mudança drástica no país: no passado foi o Plano Cruzado que sacudiu o Brasil, e em 2016, a divulgação dos áudios entre os ex-presidentes, que foi a gota d´água para o *impeachment* de Dilma.

As vozes de Brasil 247, Brasil de Fato e Blog do Esmael soaram como sibilos na tentativa da busca de oxigênio por desvelar e trazer à superfície o que estava escondido sob o assentamento do (quase) monopólio da narrativa midiática vigente. Ao mostrar o nível de subserviência dos grandes veículos aos caprichos da Lava Jato (e Moro), Leite (2018, p. 23) observa:

> Em outubro de 2017, o jornalista Márcio Chaer, criador do portal Conjur, especializado na cobertura do Judiciário, registrou, em artigo devastador, suas impressões acerca dos efeitos da Lava Jato sobre o jornalismo brasileiro. Chaer escreveu que "com o advento do petrolão, o Ministério Público Federal mudou o eixo do poder nas redações. Os profissionais mais valorizados do mercado passaram a ser aqueles com relações privilegiadas com os procuradores. Claro, a lealdade tem que ter mão dupla. Suposições, ilações ou meras suspeitas dos procuradores devem ser apresentadas como verdades absolutas. Na ditadura, quem colaborava com as forças de repressão era apelidado de "cachorro". Hoje o colaborador e o investigador são apenas bons amigos. E um ajuda o outro a escalar a hierarquia social. É o novo jornalismo chapa-branca.

A resistência destas publicações ganha contornos ainda mais heroicos quando percebemos o grande tsunami imaginário do conservadorismo varrendo as redações país afora. Faxina (2018, p. 239) observa que "nesse cenário, a Lava Jato [com Moro como homem de frente] surge como uma pérola para um jornalismo militante de direita à espera de aspas para os textos que já estavam prontos". E ainda vai direto ao ponto:

> Então, os jornalistas de direita, pouco afeito a dados, comparações, história, à contextualização e estabelecimento de nexos entre os fatos e à equidade de tratamento entre seus 'amigos' e seus 'inimigos', se tornam os cães de guarda, os ventríloquos daqueles que recebem (e muito) do erário público para cumprir o papel de investigar e julgar. Entram nessa gleba de gente vários blogueiros da republiqueta curitibana, jornalistas conhecidos por serem bem pagos para elogiar uns e dar pau em outros, especialmente se forem do PT. Em uníssono, eles ficam o tempo todo incensando, mistificando figuras do sistema de Justiça, mais afeitas ao palco, aos holofotes, do que ao trabalho duro (FAXINA, 2018, p. 240).

Ou seja, as vozes dissonantes no meio da glossolalia babeliana soaram em menor número e alcance, mas possivelmente vão ficar para a história como um farol que apontava o caminho de compreensão para toda a convulsão social que o país passava, mas que não fora (devidamente) avistada pelos navegantes de então.

FINALIZANDO

No Carnaval de 2018 a escola de samba Paraíso do Tuiuti ficou em segundo lugar, perdendo para a Beija-Flor por apenas 0,1 décimo. A escola da baixada fluminense fez um desfile em que fazia severas críticas sociais ao país por meio do tema "escravidão". Seus carros alegóricos eram uma sátira àqueles que embarcaram no apoio ao golpe, como o "Manifestoches" com os patos amarelos[109] da FIESP (Federação das Indústrias do Estado de São Paulo) sendo manipulados por mãos gigantes. A mais de mil quilômetros de distância dali, em Olinda/PE, Moro continuou sendo homenageado com um boneco gigante (figura 22) desfilando pelas ladeiras históricas da cidade.

---

[109] "Patos amarelos" foi a alcunha com que ficaram conhecidos de maneira jocosa os manifestantes pró-*impeachment* da ex-presidente Dilma Rousseff em 2016. Eram chamados assim porque se vestiam de verde e amarelo (a camisa da seleção brasileira de futebol) e faziam suas manifestações na Av. Paulista onde está localizada a FIESP (Federação das Indústrias do Estado de São Paulo) que também era a favor da queda da ex-presidente e, para isso, colocou um pato amarelo gigante no meio daquele público sintetizando a frase "quem paga o pato [no caso, os impostos, os custos da "incompetência" do governo federal] somos nós [os brasileiros]".

Figura 22 -Boneco de Moro no Carnaval de Olinda

Fonte: Moacir Dal Degan Júnior, 2018.

Em 24 de janeiro de 2018 o ex-presidente Lula teve sua condenação pelo juiz Moro ratificada pelo TRF-4 em Porto Alegre. Três desembargadores negaram por unanimidade os recursos da defesa do ex-presidente, não só confirmando, mas aumentando a sua pena: 12 anos e 1 mês de prisão. Os discursos dos três magistrados foram afinados e afiados confirmando assim a sentença do herói Moro. Cumpria-se assim a jornada do herói (CAMPBELL, 1997), afinal o julgamento não era apenas de Lula, mas também do juiz herói: absolvendo Lula o tribunal estaria desmoralizando Moro e isso não estava (e nem era para estar) no *script* da jornada. Em março de 2018 Moro deu uma entrevista ao programa Roda Viva onde afirmou (VEJA, 2018): "Sou apenas um cumpridor da ordem", sobre a execução da prisão de Lula. Uma semana depois, o ex-presidente foi preso. O herói saía de cena. Cumprira a sua jornada. Trouxera o elixir de volta. Ainda em 2018 o magistrado pediu exoneração da UFPR onde lecionava e abriu mão de uma ação da Lava Jato que investigava Beto Richa/PSDB, então governador do Paraná, alegando "cansaço". Estava enfim terminada a jornada para além da mídia: o herói teve uma sobrevida que só a imprensa pode conferir a ele. Estava tudo consumado.

Na mitologia grega a deusa Minerva (Atena, em grego) disputa com a mortal Aracne a habilidade na arte da tecelagem. Na competição a deusa bordou em seu tecido uma cena que era um recado aos mortais presunçosos que se atreviam a concorrer com os deuses. Já Aracne bordou um cenário que mostrava os deuses e seus enganos. Com isso Minerva ficou furiosa e transformou Aracne numa aranha, ao invés de matá-la: "Viva, mulher culpada! – e para que seja conservada a lembrança desta lição, continuarás pendente, tu e toda a tua descendência, por todos os tempos futuros" (BULFINCH, 2001, p. 134).

Ou seja, por meio do instrumento dos deuses, desmesuradamente porque utilizando-se de artifício legal para isso, o juiz Moro em sua sentença pune e castiga Lula deixando-o tal como Aracne pendente na rede do judiciário e da mídia *mainstream* brasileira que por meio dessa narrativa emulou sua presunção de culpa em editoriais nos grandes jornalecos (LARANGEIRA et al., 2018). Numa aproximação semântica com Chico Buarque, o magistrado estaria ainda reforçando o recado: "mirem-se no exemplo daquelas mulheres de Atenas", ou seja, cumpra-se a lei pois ninguém estaria acima dela (conforme também palavra do desembargador Gebran Neto em seu voto condenatório de Lula). Era o golpe de misericórdia do salvador Moro (e era preciso fazê-lo pois era exigido dele tal missão desde o início – maktub!).

Controverso aceitar que o herói Moro (o messias) tenha livrado (o país, as pessoas, enfim, sujeito indeterminado) alguém do mal, como propõe o título deste estudo, contudo ele cumpriu sua parte na narrativa proposta e operada pela mídia. O agendamento não poderia ser mais claro: teria que terminar assim!

Em março de 2018 Moro pediu exoneração do cargo da UFPR (Universidade Federal do Paraná) para dar aulas numa instituição particular, a UNICURITIBA. O que levaria alguém a abrir mão de um emprego numa das mais prestigiosas universidades do país para ir para uma outra que é apenas um centro universitário? Salário? Acreditamos que o desprestígio do magistrado estava tão grande naquela instituição que nosso herói optou por pedir as contas de uma outra maneira. Ao optar pelo privado ao invés do público em relação ao ensino o herói deixa um recado importante aos seus seguidores: as instituições públicas são lugares da esquerda e disso "eu não faço parte".

Num momento em que a própria UFPR criou um curso para discutir o golpe e, portanto, abordar o papel do herói nesse contexto, nada mais revelador da sua vontade em sair da instituição. Não tinha mais clima.

Em 26 de março de 2018 Moro foi convidado do Roda Viva, programa de entrevistas da TV Cultura onde respondeu por quase duas horas diversas perguntas de jornalistas simpáticos à Lava Jato, então não se poderia esperar nenhuma questão polêmica ou que o colocasse em saia justa. A mídia então fazia seu papel em *gran finale*. No dia seguinte, a Caravana Lula pela Brasil, etapa Sul teve dois ônibus atingidos por três tiros numa estrada do Paraná. "A cadela do fascismo está sempre no cio" (BRECHT) e seu uivo se fez ouvir no ano eleitoral de 2018. Em 05 de abril de 2018 Moro decreta a prisão de Lula, que não se entregou e resistiu até o fim. Caiu atirando, mas não adiantou: Lula foi preso e então o herói trouxe o elixir. Tempos difíceis se avizinhavam. A cadela do fascismo está sempre no cio e naquele dia ela voltara a uivar.

Em meio ao contexto todo que delineamos nesse estudo, cabe uma reflexão basilar: por que interessaria à mídia formar esse herói? O que ela ganharia com isso? Mesmo não sendo nosso objetivo central (ou colateral) acreditamos que se fez necessário mostrar algumas pistas que possam ajudar o(a) leitor(a) no esclarecimento dessa questão. Para nós, a chave para esse entendimento é a compreensão de quem é a classe média e suas frações, que caracteriza o maior público dos jornais impressos por excelência e que, por meio de parte dos seus integrantes, é formador de opinião na sociedade. Nesse sentido, estamos alinhados com a ideia de Jessé Souza (2018) sobre sua classificação das classes sociais no país, então é preciso ter em mente que, como já dissemos em nota de rodapé no decorrer deste estudo, que no Brasil existem quatro classes: os endinheirados (a elite do dinheiro), a classe média e suas frações, a classe trabalhadora (ou popular) e a ralé (os miseráveis). Destas, a que foi mais suscetível aos apelos semânticos e de linguagens da mídia na formação do herói Moro foi a classe média, aliás, duas de suas frações mais especificamente. Vale entender melhor como ela se subdivide para a conclusão de nosso raciocínio.

A classe média, nos termos de Souza (2018, p. 167), é aquela intermediária "entre a elite do dinheiro de quem é uma espécie de 'capataz moderno', e as classes populares, a quem explora. Ela tem que se autolegitimar tanto para cima quanto para baixo". Os intelectuais orgânicos do patrimonialismo e do populismo teriam legado à mídia a semântica e a linguagem para que pudessem se dirigir a esta classe. Com isso, a mídia, e as tecnologias do imaginário saberiam como falar aos corações e mentes desse extrato da população, já que, segundo Simmel (2006, p. 40):

> o indivíduo é pressionado, de todos os lados, por sentimentos, impulsos e pensamentos contraditórios, e de modo algum ele saberia decidir com segurança interna entre suas diversas possibilidades de comportamento – que dirá com certeza objetiva.

Na tentativa de propor uma nova configuração de classes, Souza (2018) divide então a classe média em quatro: os liberais (a maior parte), os protofascistas (segunda maior), os expressivistas (ou a classe média de Oslo) e, por fim, a crítica, a menor parcela. Os liberais seriam aquela parte da classe média onde o saber é o técnico, instrumental (os engenheiros em geral são grande parte dessa parcela), sempre a serviço do grande capital (indústrias especialmente). Os protofascistas são aqueles que são economicamente e comportamentalmente parecidos com os primeiros, com a diferença que estes não se incomodam em expressar pensamentos totalitários, contra as minorias, de cunho racista e misógino e que, acima de tudo, têm no ódio ao pobre seu núcleo principal como mote. Os expressivistas são aqueles que se preocupam em primeiro lugar com temas que, embora importantes, num país como o Brasil, que ainda não resolveu as questões sociais mais urgentes como a diminuição drástica da miséria, não são sua prioridade. Assim, essa parcela (a chamada "classe média de Oslo") pensa no meio ambiente, nos animais em extinção, nos índios, enfim, em diversos assuntos que não são prioridades sociais para o país. Já a crítica é aquela que lê mais e que cultiva um pensamento reflexivo, sabendo que também é parte e tem os preconceitos que sua classe conserva, mas que luta para mudar isso e também para minimizar os danos sociais aos mais vulneráveis da sociedade. Para Jessé Souza, a mídia deita e rola com seu discurso de ódio ao pobre, na parcela dos liberais e protofascistas, visto que ambos buscam discursos simplificadores, já que não querem pensar por si.

> Para que se perceba a vida como invenção, é necessário saber conviver com a incerteza e a dúvida, duas das coisas que a personalidade tradicional [da classe média, especialmente os liberais e protofascistas] e adaptativa mais odeia. A convivência com a dúvida é afetivamente arriscada e demanda enorme energia pessoal. O maior desafio aqui não é simplesmente cognitivo, mas de natureza emocional (...). Andar na corrente da opinião dominante com a maioria das outras pessoas confere a sensação de que o muno social compartilhado é sua casa. Essas [liberais e protofascistas, da classe média] são as frações mais suscetíveis à imprensa e a seu papel de articular e homogeneizar um discurso dominante para além das idiossincrasias individuais. O que a grande empresa da imprensa vende a seu público cativo é

essa tranquilidade de certezas fáceis, o que torna o moralismo cínico da imprensa – que nunca tematiza seu próprio papel nos esquemas de corrupção – o arranjo de manipulação política perfeito para esses estratos sociais. É esse compartilhamento afetivo e emocional, já advindo da força da socialização familiar anterior, que faz com que essas pessoas procurem o tipo de capital cultural mais afirmativo da ordem social. Nele o capataz da elite, que ajuda a reproduzir na realidade cotidiana todos os privilégios que estão ganhando, está em casa (SOUZA, 2018, p.178-179).

Fazendo uma aproximação com Maffesoli (2014, p.38) e sua amplitude da concepção da palavra costume "(na etimologia: *consuetudo*), qual seja: o conjunto dos usos comuns que permite a um conjunto social reconhecer-se como aquilo que é", a classe média que se viu cooptada por sedução (por meio da mídia impressa, tecnologia do imaginário) o fez também porque é parte do (MAFFESOLI, 2014, p. 38) "laço misterioso, não formalizado e verbalizado como tal. O costume, nesse sentido, é o não dito, o 'resíduo' que fundamenta o estar-junto". Nesse sentido, a proposta de Souza (2018) para uma nova configuração de classes sociais vai ao encontro do que Maffesoli assinala acerca do costume e sua "agitação social":

> Propus chamar isso de centralidade subterrânea ou "potência social", em oposição a poder (...). O que essas expressões pretendem sublinhar é que uma boa parte da existência social escapa à ordem da racionalidade instrumental, não se deixa finalizar e não pode se reduzir a uma simples lógica da dominação (MAFFESOLI, 2014, p. 38).

É na atmosfera envolta a essa potência, a esse imaginário então que à mídia interessa a criação de um herói. Com ele o discurso é incorporado numa personagem só e essa *persona* é que vai economizar linhas e linhas de discurso sobre como manter a vigilância sobre o risco de a corrupção (do Estado, dos outros, da esquerda) voltar a grassar na nossa sociedade. Moro herói é a síntese desse discurso da Casa-Grande. E a mídia o adotou e o moldou com maestria. Tanto que o herói consegue trazer seu elixir (CAMPBELL, 2007).

Utilizamos neste estudo o imaginário como proposta metodológica e teórica porque acreditamos que a grande mídia construiu tal herói porque agiu sob o viés ditatorial do imaginário, já que para Silva (2017, p.167-168):

> O imaginário é autoritário, ditatorial, fascista, constrangedor. Ele se impõe ao imaginante como um texto extraído das suas vivências. Não há autonomia real desse imaginante. Este, mais do que sujeito, é objeto. A regra de ouro do imaginário resume-se a uma negação: ninguém pode rejeitar o seu imaginário nem se negar ao imaginário. O imaginário é uma submissão.

Não entendemos, no entanto, que fosse impossível se livrar de tal imaginário, porém foi certamente mais fácil – e principalmente mais conveniente – a imprensa brasileira deixar-se levar por ele, já que mostrar Moro como herói e utilizar dos recursos semânticos e do "lugar de fala" para tal foi tão somente a expressão do vivido por "um processo de seleção cognitivo e emocional do aparelho psíquico do veículo analisado", já que "imaginário não é aquilo que Ulisses viveu (...) imaginário é aquilo que se cristalizou em Ulisses ao longo da caminhada até a volta para casa" (SILVA, 2012, p. 168).

Fica também a questão: em que medida Moro deixou que a mídia o colocasse no pedestal que hoje (2019) se encontra? Para o magistrado talvez fosse mais confortável o papel de herói para a mídia que a de especialista no assunto, ou seja, ele poderia ter feito seu trabalho e ainda assim aparecido nas TVs, rádios e jornais mas por meio do caráter técnico de suas decisões e não político. O que facilitou para que a mídia o colocasse como herói foi sua face justiceira que (em 2013 e em menor grau, mas ainda hegemônica, 2019) já que com esse atributo ele poderia ser compreensível (e palatável) por diversas camadas da população; caso prevalecesse o técnico (o juiz que fala nos autos), grande parte dos seus apoiadores (muito provavelmente) não conseguiriam dimensionar o tamanho do feito. Caçar corruPTos como fez o juiz especialmente na Operação Lava Jato e com destaque para a caPTura de um ex-presidente da República, trouxe ao agora (2019) ex-juiz e Ministro da Justiça seu galardão Real que ele (parece) tanto buscou na vida: decidir o que é justo ou não em seu país.

Para finalizar, arriscamos nesse estudo – e particularmente nessas últimas linhas – conceituar, mesmo que de maneira ainda incipiente (o tema carece de maiores estudos), que o que o jornal Gazeta do Povo praticou ao participar da construção do herói Moro no imaginário nacional foi o que batizaremos aqui de uma nova categoria do jornalismo, o "jornalismo Dallagnol[110]", ou seja, aquele tipo de atividade que, ao contrário do Sebastianismo, não espera a volta do herói para redenção da nação mas que construiria o seu próprio, tendo como características o imaginário conservador como mote, aliado a uma visão messiânica

---

[110] Em "A outra história da Lava-Jato" (2015) Paulo Moreira Leite conta uma visita de Dallagnol a uma igreja batista no Rio de Janeiro, onde, convidado a falar pelo pastor, discursou: "'Dentro da minha cosmovisão cristã, eu acredito que existe uma janela de oportunidade que Deus está dando para mudanças', afirmou. 'Amém', respondeu a plateia. 'É isso aí, Deus está respondendo', devolveu Dallagnol. O procurador também disse: 'Se nós queremos mudar o sistema, precisamos orar, agir e apoiar medidas contra a corrupção', antes de acrescentar: 'O cristão é aquele que acredita em mudanças quando ninguém mais acredita. Nós acreditamos porque vivemos na expectativa do poder de Deus'" (LEITE, 2015, p. 316).

da narrativa, numa jornada heroica cumprindo a maioria das etapas do herói de mil faces de Campbell. Nesse tipo de jornalismo, numa extensão ao "jornalismo do mato" (LARANGEIRA, 2015), a mídia não serviria apenas de cão de guarda do regime escravagista, mas iria além: guardaria a casa (grande) e ratificaria o imaginário de um herói messiânico que ataca a corrupção (dos tolos) e prende os malfeitores (de estimação) para perpetuar assim seu poder disseminador das ideias dominantes, nos termos de Souza (2018): "Quem controla a produção, das ideias dominantes, controla o mundo (...) é necessário, para quem domina e quer continuar dominando, se apropriar da produção de ideias para interpretar e justificar tudo o que acontece no mundo de acordo com seus interesses".

Esse foi o jornalismo que forjou o herói Moro de Curitiba, para toda a nação brasileira, jornalismo esse que nos anos 1960 por exemplo, ficou ao lado dos militares que apearam Jango do poder para instituir a ditadura no país por duas décadas, dando retaguarda aos então novos donos do país. Sobre isso, Larangeira (2014, p.169) toca direto na ferida:

> A mídia desenvolve a exitosa lide alquímica de conversão da informação em merchandising apadrinhador e da invenção do pluralismo unilateral originada da exposição dos diversificados pontos de vista de um único ponto de vista. Acredita ser o missionário civilizador e o é, na forma idêntica à do catequizador unanimista, do analista tautológico, do ideólogo unidirecional e, em suma, da sentinela do espírito de casta. Uma autêntica cã de guarda do etnocentrismo classista.

Uma reflexão (que não foi objeto de estudo deste livro, mas que pode vir a se tornar futuramente) que pode ser ventilada nesta seção final é a perspectiva fetichista da criação do herói pela mídia, tal como mostramos ao longo do texto. Como ensina Adorno e Horkheimer (1985, p.40) "A partir do momento em que as mercadorias, com o fim do livre intercâmbio, perderam todas as suas qualidades econômicas, salvo seu caráter de fetiche, este se espalhou como uma paralisia sobre a vida da sociedade em todos os seus aspectos". É a mercadoria Moro herói que é reproduzida pela mídia na *pseudo* tentativa de manter sua aura, o que é inútil como já ensinou Benjamin (1985) para quem a troca do valor de culto pelo de exposição acabou com a mística daquele objeto. O mito Moro, por sua reprodução em massa durante os anos que vão desde o início da Operação Lava Jato até sua posse como Ministro da Justiça pode indicar um tempo de desgaste dessa mercadoria forjada pela mídia na capa de um herói, e herói nos termos do monomito em Campbell (2007). Ademais vale observar que "o mito queria relatar, denominar, dizer a origem, mas também expor, fixar, explicar. Com o registro e a coleção dos mitos, essa tendência reforçou-se" (ADORNO; HORKHEIMER, 1985, p. 23) e nesse sentido a mídia encarregou-se de incensar e promover essa multiplicação com o fito de inculcar e imprimir no imaginário social a pecha do Moro herói. Nas matérias que analisamos pudemos perceber isso e se o escopo do estudo tivesse um corpus ainda maior, teríamos ainda em termos quantitativos uma maior dimensão sobre o assunto.

    O estudo termina deixando um questionamento para talvez uma nova pesquisa por este autor ou por outro que desejar fazê-lo: em que medida a imprensa realmente cumpre seu papel? Em que medida ela também não teria divindades de estimação? Em abril de 2018, numa resposta aos deputados de viés esquerdistas que, em homenagem a Lula preso, incluíram o nome do ex-presidente em seu próprio nome, os parlamentares *fãs/adeptos* de Moro incorporaram o nome do juiz ao deles próprios. É o nome começando e terminando uma história onde o herói construído pela mídia deixa seu nome registrado não apenas no início ou já no desenvolvimento da vida, mas no da História (nem que seja em seu rodapé, como querem seus críticos). Mas nesse estudo foi o herói da mídia, uma mídia que, especialmente na pós-modernidade, precisa de heróis para validar seu discurso.

REFERÊNCIAS

A BÍBLIA Sagrada. *Contendo o Velho e o Novo Testamento*. Edição Revista e Corrigida. Tradução de: João Ferreira de Almeida. São Paulo: Sociedade Bíblica do Brasil, 1969.

A DIREITA veio para ficar e é bom já ir se acostumando. *Gazeta do Povo*, 2018. Disponível em: <https://www.gazetadopovo.com.br/rodrigo-constantino/artigos/direita-veio-para-ficar-e-e-bom-ja-ir-se-acostumando/>. Acesso em: 03 jan. 2018.

A LEI está do lado de Moro. *Gazeta do Povo*, 2016. Disponível em: <https://www.gazetadopovo.com.br/opiniao/editoriais/a-lei-esta-do-lado-de-moro-bmthj9zpa28kxz22gk13mdctz/>. Acesso em: 03 jan. 2018.

A IMPRENSA comprava tudo. Assessora de Sérgio Moro por seis anos fala sobre a Lava Jato. *The Intercept Brasil*, 2018. Disponível em: <https://theintercept.com/2018/10/29/lava-jato-imprensa-entrevista-assessora/>. Acesso em: 09 jan. 2019.

A SEMENTE dos escândalos. *Carta Capital*, 2016. Disponível em: <http://www.cartacapital.com.br/revista/874/a-semente-dos-escandalos-9478.html>. Acesso em: 14 set. 2016.

ADORNO, Theodor; HORKHEIMER, Max. *Dialética do Esclarecimento*: fragmentos filosóficos. Tradução: Guido Antonio de Almeida. Rio de Janeiro: Jorge Zahar Ed, 1985.

ALMEIDA, Nely Valente de. *História de Curitiba*: ensaio sobre a sua evolução. 2ª edição. Curitiba: Biblioteca Pública do Paraná, 1978.

ARENDT, Hannah. *Entre o passado e o futuro*. Tradução: Mauro W. Barbosa. São Paulo: Perspectiva, 2011.

ARISTÓTELES. *A política*. Tradução: Nestor Silveira Chaves. São Paulo: Escala Educacional, 2006.

"A EPOPÉIA DE GILGAMESH". In: SERRA, Orped José Trindade. *A Mais Antiga Epopéia do Mundo*: a Gesta de Gilgamesh. vol. I, 1ª Ed. Salvador: Fundação Cultural, 1985, p. 10.

AINDA bem que Brasil tem herói, o Moro, diz Dória sobre soltura de Lula. *YAHOONOTICIAS*, 2018. Disponível em: <https://br.yahoo.com/noticias/ainda-bem-que-brasil-tem-173300221.html>. Acesso em: 08. jul, 2018.

BACHELARD, Gaston. *Message de Gaston Bachelard*. Société de Symbolisme (Genève), Cahiers Internationaux du Symbolisme, n. 1, 1962, p. 5-6.

BAUDRILARD, Jean. *Tela total*: mito-ironias do virtual e da imagem. Porto Alegre: Sulina, 1997;

BAUER, Martin W.; GASKELL, George. *Pesquisa qualitativa com texto, imagem e som*: um manual prático. 7. ed. Petrópolis, RJ: Vozes, 2008.

BENJAMIN, Walter. *Sens unique*. Paris: Les Lettres Nouvelles, 1978.

_____. *A obra de arte na era de sua reprodutibilidade técnica*. In: Obras escolhidas: magia e técnica, arte e política. Tradução de: Sérgio Paulo Rouanet. São Paulo: Brasiliense, 1985.

BOBBIO, Norberto. *Direita e esquerda*: razões e significados de uma distinção política. Tradução:

Marco Aurélio Nogueira. São Paulo: Editora da Universidade Estadual Paulista, 1995.

BOURDIEU, Pierre. *O Poder simbólico*. Ed. Bertrand Brasil, Rio de Janeiro, 1989.

BRAGA, José Luiz. Comunicação, disciplina indiciária. In: *Revista Matrizes*, vol. 1 n. 2, p. 73-88, 2008.

BRASIL. *Código de Ética da Magistratura Nacional (2008)*. Disponível em: <http://www.cnj.jus.br/publicacoes/codigo-de-etica-da-magistratura>. Acesso em: 05 nov. 2018.

_____. *Lei Orgânica da Magistratura Nacional (1979)*. Disponível em: <http://www.planalto.gov.br/ccivil_03/Leis/LCP/Lcp35.htm>. Acesso em: 05 nov. 2018.

BUNFINCH, Thomas. *O livro de ouro da mitologia*: (a idade da fábula): história de deuses e heróis. Tradução de: David Jardim Júnior. Rio de Janeiro: Ediouro, 2001.

CALAZANS, Flavio. *Propaganda subliminar multimídia*. Summus, 1992.

CAMPBELL, Joseph. *O herói de mil faces*. Tradução de: Adail Ubirajara Sobral. São Paulo: Pensamento, 2007.

CAMARA aprova título de cidadão honorário de Curitiba a Sérgio Moro. *G1*, 2016. Disponível em: <http://g1.globo.com/pr/parana/noticia/2016/04/camara-aprova-titulo-de-cidadao-honorario-de-curitiba-sergio-moro.html>. Acesso em: 02 jun. 2018.

CARRETA em Curitiba declara apoio ao juiz Sérgio Moro e à Lava Jato. Gazeta do Povo, 2016. Disponível em: <https://www.gazetadopovo.com.br/vida-publica/carreata-em-curitiba-declara-apoio-ao-juiz-sergio-moro-e-a-lava-jato-bsg17f2ntyel2ps9je-1puxiqd/>. Acesso em: 03 jan. 2019.

CAVALHEIRO, Jonatas. *Entre redemoinhos e o mar*: observações de um pastor sobre o cotidiano, o amor e outros devaneios. Maricá: Ponto da cultura editora, 2012.

CHARAUDEAU, Patrick. *Discurso político*. São Paulo: Contexto, 2008.

DEBORD, Guy. *A sociedade do espetáculo*. Tradução de: Estela dos Santos Abreu. Rio de Janeiro: Contraponto, 1997.

DURAND, Gilbert. *As estruturas antropológicas do imaginário*: introdução à arqueologia geral. Tradução de: Hélder Godinho. São Paulo: Martins Fontes, 1997.

_____. *O imaginário*: ensaio acerca das ciências e da filosofia. Tradução de: Renée Eve Levié. Rio de Janeiro: Diefel, 2014.

DORIA não explica com que base vai pedir que Moro "adie" prisão de Lula. *O Cafezinho*, 2016. Disponível em: <https://www.ocafezinho.com/2016/07/21/doria-nao-explica-com-que-base-vai-pedir-que-moro-adie-prisao-de-lula/>. Acesso em: 17 mai. 2018.

EM dia de atos sobre impeachment, Curitiba tem protesto pela maconha. *G1*, 2016. Disponível em: <http://g1.globo.com/pr/parana/noticia/2016/04/em-dia-de-atos-sobre-impeachment-curitiba-tem-protesto-pela-maconha.html>. Acesso em: 08 set. 2018.

ENTENDA o Caso Banestado. *Folha de S.Paulo*, 2016. Disponível em: <http://www1.folha.uol.com.br/folha/brasil/ult96u57148.shtml>. Acesso em: 14 set 2016.

FAXINA, Elson. Voz de Deus. In: *Enciclopédia do Golpe vol.2*: o papel da mídia. Giovanni Alves, Maria Inês Nassif, Miguel do Rosário e Wilson Ramos Filho (coord.); Mírian Gonçalves (org.). — Bauru: Canal 6, 2018. Disponível em: <http://biblioteca.clacso.edu.ar/clacso/se/20181026042851/Enciclopedia_vol_2.pdf>. Acesso em: 22 jan. 2019.

FEYERABEND, Paul. *Contra o método*. São Paulo: Editora Unesp, 2011.

FURTADO, Antonio. *Mitos e lendas*: heróis do ocidente e do Oriente: histórias da Antiguidade e da Idade Média. Rio de Janeiro: Nova Era, 2006.

GENI e o Zepellin. *Letras.mus.br*. Disponível em: <https://www.letras.mus.br/chico-buarque/77259/>. Acesso em: 12 jan. 2019.

GIL, Antonio Carlos. *Métodos e técnicas de pesquisa social*. 6. ed. São Paulo: Atlas, 2009.

GINZBURG, Carlo. *Mitos, emblemas, sinais: morfologia e história*. Tradução: Federico Carotti. São Paulo: Companhia das Letras, 1989.

GOFFMAN, Erving. *A representação do eu na vida cotidiana*. Petrópolis: Vozes, 1975.

GOMES, Denise. *Tecnologia do imaginário*: o jornalismo como promotor das doenças mentais. Tese (Doutorado) – Faculdade de Comunicação Social, Programa de Pós-Graduação em Comunicação Social, PUCRS, Porto Alegre, 2016.

GOVERNO DO PARANÁ. *Curitiba 300 anos e memória oficial e Real*. Curitiba: Impresso no Brasil, 1994.

GUMBRECHT, Hans. *Pequenas crises*: experiência estética nos mundos cotidianos. In: GUIMARAES, C; LEAL, B; MENDONÇA, C. (Org.). *Comunicação e experiência estética*. Belo Horizonte: Editora UFMG. Belo Horizonte, 2006. p. 50-63.

HITLER, Adolph. *Minha luta [Mein Kampf]*. São Paulo: Editora Moreira, 1983.

HUIZINGA. Johan. *O outono da Idade Média*. São Paulo: Cosac & Naify, 1975.

_____. *Homo Ludens*. São Paulo: Perspectiva, 2001.

JUSTIÇA condena 14 ex-diretores e ex-gerentes do Banestado. *Folha de S.Paulo*, 2016. Disponível em: http://www1.folha.uol.com.br/folha/brasil/ult96u62914.shtml. Acesso em: 13 set. 2016.

KAFKA, Franz. *A Metamorfose*. São Paulo: Brasiliense, 1986.

_____. *O Processo*. Rio de Janeiro, 2003.

KIENTZ, Albert. *Comunicação de Massa*. Análise de Conteúdo. Eldorado, Rio de Janeiro,1973.

LARANGEIRA, Álvaro. *A mídia e o regime militar*. Porto Alegre: Sulina, 2014.

_____. A imprensa e o gênero jornalismo do mato no regime militar. In: *Revista Famecos* (online), v. 22, p. 36, 2015.

_____et ali.; PRADO JÚNIOR, Tarcis; IACOMINI JUNIOR, Franco; CARDOSO, Moisés; FLORENZANO, Antonio. L´affaire Lula et I´action de l´imaginaire dans les grands medias brésiliens. In: *Societés* (Paris), v. 139, p. 135, 2018.

LEGROS, Patrick; MONNEYRON, Frédéric; RENARD, Jean-Bruno; TACUSSEL, Patrick. *Sociologia do imaginário*. 2. ed., Porto Alegre: Sulina, 2014.

LEITE, Paulo. *A outra história da Lava-jato*. São Paulo: Geração Editorial, 2015.

_____. Agência Lava Jato. In: *Enciclopédia do Golpe vol.2*: o papel da mídia. Giovanni Alves, Maria Inês Nassif, Miguel do Rosário e Wilson Ramos Filho (coord.); Mírian Gonçalves (org.). — Bauru: Canal 6, 2018. Disponível em: <http://biblioteca.clacso.edu.ar/clacso/se/20181026042851/

Enciclopedia_vol_2.pdf>. Acesso em: 22 jan. 2019.

LULA: porquoi je veux à nouveau être président du Brésil. *Le Monde*, 2018. Disponível em: <https://www.lemonde.fr/idees/article/2018/05/17/lula-pourquoi-je-veux-a-nouveau-etre-president-du-bresil_5300166_3232.html>. Acesso em: 22. jun, 2018.

MAFFESOLI, Michel. *Entrevista concedida a Tarcis Prado Júnior.* Curitiba, 25. Mai, 2017.

_____. *A ordem das coisas*: pensar a pós-modernidade. São Paulo: Forense Universitária, 2016.

_____. *O conhecimento comum*: introdução à sociologia compreensiva. Tradução de: Aluísio Ramos Trinta. Porto Alegre: Sulina, 2010.

_____. *A transfiguração do político*: a tribalização do mundo. Tradução de: Juremir Machado da Silva. Porto Alegre: Sulina, 2011.

_____. *O tempo das tribos*: o declínio do individualismo nas sociedades de massa. Tradução: Maria de Lourdes Menezes. Rio de Janeiro: Forense, 2014.

_____. "O imaginário é uma realidade" (entrevista a Juremir Machado da Silva), *Revista Famecos, mídia cultura e tecnologia*, v. 8, n. 15. Porto Alegre: Edipucrs, 2001. Disponível em: <http://revistaseletronicas.pucrs.br/ojs/index.php/revistafamecos/article/view/3123>. Acesso em: 11 jan. 2017.

MAIORIA dos brasileiros reprova o juiz Sérgio Moro, diz pesquisa Ipsos/Estadão. *FÓRUM*, 2018. Disponível em: <https://www.revistaforum.com.br/maioria-dos-brasileiros-reprova-o-juiz-sergio-

-moro-diz-pesquisa-estadao-ipsos/>. Acesso em: 23 jun. 2018.

MALEBRANCHE. Nicolas. *De I'imagination. De la recherche de la vérité (Livre II)*. Paris: Vrin, 2010.

MARTINEZ, Monica. *Jornada do Herói*: a estrutura narrativa mítica na construção de histórias de vida em jornalismo. São Paulo: Annablume, 2008.

MELECH, Ana Maria. *A imagem como enunciação*: o ethos político do estadista Getúlio Vargas através das fotografias expostas na revista da semana. Tese (doutorado) – Universidade Tuiuti do Paraná, 2016.

"MEU IRMÃO me proibiu de ver minhas sobrinhas". *Uol*, 2018. Disponível em: <https://noticias.bol.uol.com.br/ultimas-noticias/eleicoes/2018/10/26/meu-irmao-me-proibiu-de-ver-minhas-sobrinhas-eleicoes-dividem-familias.htm>. Acesso em: 03 jan. 2018.

MORIN, Edgar. *Os setes saberes necessários à educação do futuro*. Tradução de Catarina Eleonora F. Silva e Jeanne Sawaya. São Paulo: Cortez, 2000.

MORO derruba sigilo e divulga grampo de ligação entre Lula e Dilma;ouça. *PORTAL G1*, 2016. Disponível em: <http://g1.globo.com/pr/parana/noticia/2016/03/pf-libera-documento-que-mostra-ligacao-entre-lula-e-dilma.html>. Acesso em: 19 jan. 2019.

MORO divulga áudio de ligação entre Lula e Dilma. *Congresso em Foco*, 2016. Disponível em: <https://congressoemfoco.uol.com.br/especial/noticias/moro-divulga-audio-de-ligacao-entre-lula-e-dilma/>. Acesso em: 20 jan. 2019.

MORO e Aécio são flagrados aos risos e foto viraliza; veja os melhores tweets. *PORTAL IG*, 2016. Disponível em: <http://ultimosegundo.ig.com.br/politica/2016-12-07/moro-aecio.html>. Acesso em: 17 mai. 2018.

MORO escorrega e admite que sentença contra Lula não tem como base a denúncia do MPF. *Blog Reinaldo Azevedo*, 2018. Disponível em: <http://www3.redetv.uol.com.br/blog/reinaldo/xiii-moro-escorrega-e-admite-que-a-sentenca-que-condenou-lula-nao-tem-como-base-a-denuncia-do-mpf/>. Acesso em: 12 fev. 2018.

MORO, Sergio Fernando. Considerações sobre a Operação Mani Pulite. In: *Revista CEJ*, v.26, p. 55-62. Brasília, 2004.

NETTO, Vladimir. *Lava Jato*: o juiz Sergio Moro e os bastidores da operação que abalou o Brasil. Rio de Janeiro: Primeira Pessoa, 2016.

OLIVEIRA, Fábio. História da religião: analisando a Epopéia de Gilgamesh e a mitologia genesiana. In: *Religare*, v.11, n.1, 2014, p.32-51. Disponível em: <http://periodicos.ufpb.br/index.php/religare/article/viewFile/22192/12286>. Acesso em: 01 nov, 2017.

OLIVEIRA, Ricardo; MONTEIRO, José; GOULART, Mônica; VANALI, Ana Christina. Prosopografia familiar da Operação "Lava-Jato" e do Ministério Temer. In: Revista NEP (Núcleo de Estudos Paranaenses). Curitiba, v.3, n.3, p.1-28, ago. 2017.

ONISCIENTE, onipotente. O inquisidor da Lava Jato revisa decisões superiores, mas agora corre o risco real de ser catequizado pelo STF em um dos processos movidos contra Lula. *Carta Capital*, n. 1002, 2018.

PARA homenagear Moro, prof. Galdino propõe criação do bairro "República" em Curitiba. *Gazeta do Povo*, 2016. Disponível em: <https://www.gazetadopovo.com.br/vida-publica/para-homenagear-moro-prof-galdino-propoe-criacao-do-bairro-republica-em-curitiba-2t8wwutrje785mhc7l2ky7nyf>. Acesso em: 17 jun. 2018.

PMDB apresenta documento com propostas para retomada do crescimento. *EBC*, 2015. Disponível em: <http://agenciabrasil.ebc.com.br/politica/noticia/2015-10/pmdb-critica-excessos-economicos-do-governo-e-aumento-de-impostos>. Acesso em: 16 jan. 2019.

SANTOS, Adilson dos. A tragédia grega: um estudo teórico. In: *Revista Investigações*. Recife: UFPE, vol.18, n.1, p. 41-67, jul 2005. Disponível em: <http://www.revistainvestigacoes.com.br/Volumes/Vol.18.N.1_2005_ARTIGOSWEB/Atragedia-grega-um-estudo-teorico_ADILSON-DOS-SANTOS.pdf>. Acesso em: 23 out. 2018.

SÃO SERGIO MORO, padroeiro dos tucanos. Uma produção: organizações Globo. *Midia Ninja*, 2016. Disponível em: <https://twitter.com/midianinja/status/709831086281457664>. Acesso em: 01 jun, 2018.

SERRA, Orped. *A Mais Antiga Epopeia do Mundo*: a Gesta de Gilgamesh. vol. I, 1ª Ed. Salvador: Fundação Cultural, 1985.

SERGIO Moro: heroi anticorrupção ou incendiário?. *BBC Brasil*, 2016. Disponível em: http://www.bbc.com/portuguese/

noticias/2016/03/160317_sergio_moro_ru. Acesso em: 13 set. 2016.

SÉRGIO Moro, um ilustríssimo desconhecido. *Gazeta do Povo*, 2016. Disponível em: <http://www.gazetadopovo.com.br/vida-publica/sergio-moro-um--ilustrissimo-desconhecido-de3447fcdify2ue6d-0cs2cvuv>. Acesso em: 14 set. 2016.

SILVA, Juremir Machado da. Interfaces, Maffesoli, teórico da comunicação. In: *Revista Famecos*. Porto Alegre: PUCRS, n.25, p. 43-48, dez 2004.

_____. *Correio do Povo*: a primeira semana de um jornal centenário. Porto Alegre: Sulina, 2015.

_____. *As tecnologias do imaginário*. Porto Alegre: Sulina, 2012.

_____. *Diferença e descobrimento*. O que é o imaginário? A hipótese do excedente de significação. Porto Alegre: Sulina, 2017.

SIMMEL, Georg. *Questões fundamentais da sociologia*: indivíduo e sociedade. Rio de Janeiro: Zahar, 2006.

SOUZA. Jessé. *A radiografia do golpe*: entenda como e por que você foi enganado. Rio de Janeiro: LeYa, 2016.

_____. *A elite do atraso*: da escravidão à Lava Jato. Rio de Janeiro: Leya, 2017.

STUMPF, Ida Regina C. Pesquisa bibliográfica. In: DUARTE, Jorge; BARROS, Antonio (orgs). *Métodos e técnicas de pesquisa em comunicação*. 2. ed., São Paulo: Atlas, p. 51-61, 2010.

TRIBUNAIS Superiores revisaram só 3,9% das decisões de Moro. *O Estado de S.Paulo*, 2016. Disponível em: <https://politica.estadao.com.br/blogs/fausto-macedo/tribunais-revisaram--apenas-39-das-decisoes-de-moro/>. Acesso em: 10 jan. 2019.

TSE. *Divulgação de resultados de eleições*, 2018. Disponível em: <http://divulga.tse.jus.br/oficial/index.html>. Acesso em: 08 jan. 2019.

WEBER, Max. *Conceitos sociológicos fundamentais*. Covilhã: LusoSofia, 2010.

WILLIAMS, Raymond. Culture is ordinary [1958]. In: *Resources of Hope*: Culture, Democracy, Socialism. p. 3-18. Londres: Verso, 1989.

_____. *Marxismo e Literatura*. Rio de Janeiro: Zahar, 1979.

VOGLER, Christopher. *A jornada do escritor*: estruturas míticas para escritores. Tradução de: Ana Maria Machado. Rio de Janeiro: Nova Fronteira, 2006.

Matérias analisadas

"MORO remete grampo presidencial para Globo ao invés do STF", denuncia Gleisi Hoffmann. *BLOG DO ISMAEL*, 2016. Disponível em: <https://www.esmaelmorais.com.br/2016/03/senadora-gleisi-classifica-vazamento-de-moro-como-lamentavel/>. Acesso em: 06 out. 2018.

ARTISTAS parabenizam Moro pela condenação de Lula. *GAZETA DO POVO*, 2017. Disponível em: <https://www.gazetadopovo.com.br/reinaldo-bessa/curiosidades/artistas-parabenizam-moro-pela-condenacao-de-lula/>. Acesso em: 26 set. 2018.

DILMA está na mira de Sérgio Moro, mas ainda pode escapar. *GAZETA DO POVO*, 2016. Disponível em: < https://www.gazetadopovo.com.br/vida-publica/justica-e-direito/

dilma-esta-na-mira-de-sergio-moro-mas-ainda-pode-escapar-2uhtrwremtij6d0qg4wrcmoi5/>. Acesso em: 23 set. 2018.

GRAVAÇÕES divulgadas por Moro geram controvérsia entre juristas. *GAZETA DO POVO*, 2016. Disponível em: <https://www.gazetadopovo.com.br/vida-publica/justica-e-direito/gravacoes-divulgadas-por-moro-geram-controversia-entre-juristas-1cs7e14crvagkpa1k4lg7u3lm>. Acesso em: 23 jul. 2018.

IMPRENSA mundial condena impeachment de Dilma. *BRASIL DE FATO*, 2016. Disponível em: <https://www.brasildefato.com.br/2016/08/31/imprensa-mundial-condena-golpe-no-brasil/>. Acesso em: 22 out. 2018.

JULGAMENTO de Lula mostra que TRF-4 está 'fechado' com Moro e a Lava Jato. *GAZETA DO POVO*, 2018. Disponível em: <https://www.gazetadopovo.com.br/politica/republica/julgamento-de-lula-mostra-que-trf-4-esta-fechado-com-moro-e-a-lava-jato-daumz6mh0k8sgqnf7h0esd51o/>. Acesso em: 27 set. 2018.

MANIFESTAÇÃO em frente à Justiça Federal em Curitiba teve clima festivo. *GAZETA DO POVO*, 2016. Disponível em: <https://www.gazetadopovo.com.br/vida-publica/manifestacao-em-frente-a-justica-federal-em-curitiba-teve-clima-festivo-0desuolvfiplo5nbljgu5xs0n/>. Acesso em: 08 set. 2018.

MORO manda prender Lula no processo do triplex. *GAZETA DO POVO*, 2018. Disponível em: <https://www.gazetadopovo.com.br/politica/republica/moro-manda-prender-lula-no-processo-do-

-triplex-5bjnnatezhnw7j4dz9peio2bo/>. Acesso em: 30 set. 2018.

SERGIO MORO divulgou grampo ilegal de Dilma. *BRASIL 247*, 2016. Disponível em: <https://www.brasil247.com/pt/247/poder/221458/Sergio-Moro-divulgou-grampo-ilegal-de-Dilma.htm>. Acesso em: 06 out. 2018.

ANEXOS

"SANTIFICAÇÃO" DE MORO

REPÚBLICA DE CURITIBA
AQUI SE CUMPRE A LEI

SÉRGIO MORO
LIVRAI-NOS DO MAL, AMÉM!
FORA corruPTos

O problema do brasil é o messianismo... Ver mais

REPÚBLICA DE
CURITIBA

REPÚBLICA DE CURITIBA
AQUI VAGABUNDO NÃO SE CRIA
POR UM BRASIL MELHOR

Dan███████████████████,
Ra█████████ e outras 47 pe...

Mercado Livre
Patrocinado ·

Confira as ofertas que separamos para você. Em até 12x!

IN MORO WE TRUST.

R$ 20,...
Camis...

Comprar agora

R$ 23
Cami

pólen soft 80 gr/m²
tipologia garamond 12/16
inverno de 2020